인문잡지 한편

12

우정

“모든 것이 무심함으로 귀결되는
이 보이지 않는 세계 속에서
우리는 이미 싸우고 있을 뿐이다.
바로 여기에 그 깊은 고통이
있는 것이다. 그 고통이
우정이 망각에 이르는 동안
동행해 줄 것이다.”

모리스 블랑쇼,
『우정』

인문잡지 한편
2023년 9월
12호

우정

12호를 펴내며

적개심 다루는 법

'우정' 호를 준비하면서 나는 오래 만난 친구의 추억이나 보편적인 우정론에서 출발하지 않았다. 지금 내가 직장 동료와 친구일 수 있는지, 저자와 우정을 쌓을 수 있는지가 궁금했다. 동료와는 결정적인 순간에 불화하게 되었고 저자와는 싸우거나 집착했지 중간이 없었다. 업계에서 친한 사람들끼리 공저를 내고, 우정이라는 말을 쉽게 입에 올리는 모습을 보면 적의가 든다. 저들은 가식적인 것인가? 아니면 저들의 다정다감이 진짜이고 내가 잘못 살고 있는 것인가? 관조의 거리를 유지하기에는 모든 게 지나치게 가까이 있거나 멀리 있다.(《한편》 '외모')

이건 적개심을 다루는 문제다. 매일 만나는 나와 다른 사람들을 적대할 것인가, 친구가 되자고 나설 것인가? 우정에 관한 글을 청탁하면서 필자들에게 친구가 누구인지 물어보곤 했다. 처음 기획은 '당신의 적은 누구입니까?' 하는 질문을 던지고 적에 함께 맞설 친구는 누구인지 들으려는 것이었지만, 분명하게 나의 적은 누구라고 말해 주는 사람은 하나도 없었다. 대신 열 명의 필자들은 자신에게 우정이 무엇인지에 대해 고민하기 시작했다. 그 진지함에 든든함을 느끼면서 나도 우정이라는 말을 어색해하지만은 않고 쓰는 방법을 찾기 시작했다.

우정은 글쓰기 비법이다

우정이란 인기 있는 주제다. 친구와 손절했다는 썰은 늘 흥미를 끌고, 누가 누구와 친한지 캐는 재미가 존재한다. 출판에서 우정은 글의 소재이자 글을 생산하는 방법이기도 하다. 특히 여성 작가들의 창작론이 주목받는 지금 《한편》은 글쓰기 비법으로 대두한 우정을 탐구하는 세 편을 첫머리에 실었다.

작가 안담의 「작가-친구-연습」은 글방에서 배운 것을 회고한다. 지금 활발하게 활동하는 1990년대생 여성 작가들이 다녔던 어딘글방에서는 작가의 친구가 되는 법까지 가르쳤다. 그것은 "인용하는 연습뿐만 아니라 인용당하는 연습"으로, 내 이야기를 내 생각과 다르게 인용해도 참는 일이다. 얼마나 힘든 연습이었을까? 실로 절필에 이르렀다가 돌아온 과정이 마음을 건드린다.

평론가 이연숙은 남들처럼 우호적인 관계를 맺기 어려운 사람으로서 「비(非)우정의 우정」을 쓴다. 친구면 친구, 연인이면 연인이라는 식으로 정해진 역할을 구분하는 사회적 압력에 대응해 "영원히 반복될 너라는 대상을 향한 나의 오해"에 충실하고자 한다. 사회부적응자로서 읽은 김영민, 아감벤, 블랑쇼, 푸코의 계보를 잇는 그는 이렇게 묻는다. "우리가 서로를 모르는데도 불구하고 어떻게 함께할 수 있느냐고."

한국문학 연구자 김정은이 쓴 「자기 언어를 찾는 방법」은 1984년 결성된 동인 모임인 '또 하나의 문화'를 소개한다. 새로운 문화를 찾는 사람들을 위한 공간이자 잡지였던 또문은 일반적인 연구 주제를 택하지 않은 저자에게 롤 모델이 된다. 여자들이 애써 마련한 '공동의 방'에서는 내 친구는 아니지만 내 친구의 친구라서 영향을 받는 일이 일어난다. 고정희, 김혜순, 김성례, 한림화의 연결망을 조망하는 작업은 "여성 저자를 초라하게 만드는 일이 아니라 여자들을 애정하고 신뢰하는 방법"이다.

우정이 자신에게 무엇인지 고민한 끝에 어렵게 쓰인 세 편을 읽으면서 나는 글을 이해하려면 글을 믿어야 한다는 걸 생각했다. 편집자 입장에서는 독자에 앞서 원고를 해석하고 약한 고리를 찾아서 수리해야 한다. 그런데 이런 개입을 애정과 신뢰로 해야 한다. 지치는 노동이지만 누구에게나 편집자는 필요하다. 우정이 내가 나한테 할 수 없는 격려를 친구에게 받으며 글을 쓰는 방법일 때, 더 많은 저자와 편집자가 서로 역할을 바꾸고 겸직해 가면서 우정을 쌓았으면 좋겠다. "좀 더 많은 편집자들이 공공의 지면에 자기 글을 써 보면 좋겠다."(오경철, 『편집 후기』)

좋아하거나, 무서워하거나 간에

오늘날 같은 초연결사회에서 적을 만들지 않는 것이 인간적인 전략이라면, 동물의 경우는 어떨까? 2023년 서울국제도서전의 주제였던 '비인간 존재'에 관한 관심과 나란히 《한편》은 동물행동학과 에코페미니즘의 두 편을 수록했다. 인간과 같고 다른 동물에게 친밀함이란 무엇이며, 영역 다툼이 일어나면 어떻게 될까?

「털 고르기를 하는 시간」은 동거 중인 개, 인간과 연구소에서 만난 침팬지 이야기를 전한다. 동물인지행동학자 김예나는 영장류를 의인화하는 대신 동물이 서로 털 고르기를 얼마나 자주 하는지, 싸움이 일어나면 누구와 연대하는지를 살핀다. 그에게 공감이란 인간이든 동물이든 상대방의 상황을 알아가는 일이다. 상대가 보내는 신호를 정확히 파악하려 애쓰는 과학적인 태도가 사랑과 우정의 스펙트럼을 넓히는 실천으로 이어진다.

페미니스트 철학자 뤼스 이리가레, 발 플럼우드를 번역한 영문학 연구자 김지은은 「비둘기와 뒤얽히는 영역」을 관찰한다. 데리다에게 고양이가, 해러웨이에게 개가 있다면 김지은에게는 비둘기가 있다. 수원의 한 아파트 놀이터를 점령한 비둘기와 영역이 얽혀드는 가운데 하늘에는 인근 신도시에서 쫓겨 온 떼까마귀가 날아다니고, 지구 반대편에서는 악어가 인간을 습격한다. 철학이 막다른 길에 이를 때 행동의 실마리는 도시 환경의 특수성과 권력의 비대칭성을 구체적으로 보는 데에서 손에 잡힌다.

1995년 호주 카카두 국립공원에서 악어로부터 '죽음의 소용돌이'를 당했을 때 플럼우드는 자기가 "얼마나 똑똑하든 간에" 먹잇감으로 전락시키는 폭력에 압도되었다. 인간이 먹이라는 것은 그로부터 몇 년이 걸려서도 받아들이기 어려운 앎이었다. "이 가혹한 세계를 제 것으로 인정하고 그와 화해하는 일은 큰 투쟁이었습니다."(『악어의 눈』) 나는 플럼우드가 죽음의 트라우마를 견디기도, 포식자 앞에 선 무의미를 받아들이기도 그토록 고통스러웠다는 것을 이해한다. 나와 타자 사이의 골짜기는 절망적으로 깊다.

극한 갈등에서 벗어날 수 있을까

적과 친구의 구분은 정치에서 고전적인 주제다. 여당과 야당, 남한과 북한, 한국과 일본은 실제로 적대한다. 정치적 입장이 다른 상대편과 나 사이에는 건널 수 없는 강이 흐른다. 극한의 갈등에 빠진 현실에서 어김없이 찾아오는 고독(《한편》 '플랫폼')을 깨뜨리고 우정의 무대를 확장하는 세 편을 마련했다.

식민지 조선 문학 연구자 김경채는 일본인 배우자와 혼인을 통해 체류 비자를 받으면서 '진정한 친일파가 되었구나'라는 농담을 듣곤 했다. 「일본인이 되는 문제」는 '너의 진심은 어디에 속하느냐'고 묻는 권력 기제를 분석한다. 탄탄한 근대문학 연구사를 참조하면서 친일 지식인 최재서의 심경 고백을 해석해 보자. 요점은 역사 속에서 반복되는 문제를 포착하는 다음 질문이다. "우리는 누군가의 마음에 대한 판단을 멈출 수 있을까?"

사회인류학 연구자 이경빈은 「남북 관계의 굴레에서」를 초등학교 때 썼던 교환일기장에서 시작한다. '나'와 '나'의 충돌은 국제 관계에서도, 교실에서도 일어나는 법이다. 한반도에 있는 두 국가가 각자 '나'만을 주장할 때 화해와 갈등은 반복되기 마련이다. 도대체 이해할 수 없는 북한과, 나를 매일 울게 한 친구를 겹쳐서 설명하는 다음 문장에 자기 경험을 덧붙여 보자. "우리가 친구라고 부르며 아끼고 미워하는 많은 남들은 적이자 나다."

정치평론가 김민하의 「정치에서 우정 찾기」는 민주주의가 좌절되는 이유를 온라인 환경에서 찾는다. 소셜 미디어에서 내전을 치르는 극성 지지자들은 저쪽 편을 악마화하며, 정치인들은 지지자들 눈치를 보느라 합의에 나서지 않는다. 하지만 온라인 세계의 진영 싸움은 실제 문제와 무관하다. 다세대주택의 1층에서 막힌 하수구를 건물 사람들과 공동으로 뚫으려고 애쓴 경험을 들려주며 그는 “자신이 좀 손해를 보더라도 다른 사람의 억울한 피해를 막기 위해 감수하는” 자세를 말한다. 바로 이웃에 대한 우정, 사회 구성원을 향한 우애다.

세 편의 정치 이야기는 세계를 이해하는 도식을 제공한다. “좋은 갈등 상황에서는 누구나 모든 일에 항상 정답을 제시할 수도 없으며, 우리 모두가 서로 연결되어 있다는 현실을 열린 마음으로 받아들인다.”(아만다 리플리, 『극한 갈등』) 반면 관계가 갈등의 구렁텅이로 빠지는 일 또한 흔하다. 고도 갈등을 조정하려면 “매우 정교한 솜씨가 필요하면서도 가슴 아픈 순간을 견뎌 내야 한다.” 시카고 갱단들의 복수의 소용돌이에서 빠져나와 지역 청소년을 돕는 한 인터뷰이의 말이다. 정교한 솜씨, 가슴 아픈 순간이라는 묘사는 세 필자가 제시하는 우정론에도 적용되는 듯하다. 상대방에게 진심을 추궁하지 말 것, 적이자 나의 분신인 친구를 부정하다가도 긍정하기, 이웃을 위해 손해를 감수하는 마음……. 반대로 살았던 지난날이 떠오른다.

그리운 시절로 띄우는 편지

“10대처럼 모든 걸 공유하거나, 친구의 배우자 선택까지 관여하는 20~30대의 밀착감을 누릴 수 없기 때문에 중년 이후의 우정에는 새로운 가능성이 있는 것도 같다.” ‘김은형의 너도 늙는다’(《한겨레》)가 펼치는 세대에 따른 우정론이다. 직장에서 겪는 갈등에서 ‘우정’ 호를 출발한 나는 과연 30대 특유의 과로 중인 듯하다. 마지막 두 편으로 청소년기를 돌아보면 어떨까?

호밀밭 출판사를 운영하는 장현정의 「바닷가 동네의 친구들」은 광안리에서 보낸 어린 시절을 회상한다. 벌거벗고 뛰어드는 바다로 상징되는 부산은 후일을 계산하지 않고 친구들과 일을 도모할 수 있는 공간으로 묘사된다. 장현정과 친구들은 밴드를 하다가 싸우고 해산했지만, 10년 뒤 장례식장에서 만난 계기로 재결합하자 "이지형, 고경천, 루시드 폴, 크라잉넛, 노브레인, 이준오, 피아 등 옛 동료"가 글을 써 줬다. 해맑은 자랑, 우정 예찬.

「'호구'가 되는 우정」을 쓴 사회학 연구자 추주희는 '팸'으로 불리는 탈가정 청소년의 주거 형태를 광주에서 연구한다. 원가족을 떠나 또래와 사는 청소년들을 흰 눈으로 보는 사람들이 있다. 그런데 열악한 조건에서 삶을 꾸려 가는 새로운 가족 실천이 어떤 것인지는 알까? 돌봄과 폭력은 의존 관계에서 언제나 일어날 수 있다. 스스로 '호구'가 되길 선택하는 청소년들이 "비대칭적인 관계 안에서 피어나는 삶의 역량을 긍정하고 서로 의존하면서 자율적인 존재가 되기 위한 조건을 만들어 내는 시간"도 우정이다.

열 편의 관계 이야기를 읽으면서 나는 적개심을 질투, 공격성, 지배욕, 미적 판단, 고립감, 욕망으로 분광해 보는 한편 친구를 위해 꼭 나서지는 말자는 자제심을 배우게 되었다. 활로가 끊겼을 때 느끼는 외로움(《한편》 '대학')에 공감하면서, 쓸모 있는 일을 하려는 사람들을 응원(《한편》 '일')하며 자율성을 존중하는 자제심을 발휘하기란 내 성격에 쉽지 않다. 친구에게 영향을 미치고 싶기 때문이다. 말해진 내용을 그대로 받아들이는 공감과 상대에게 가하는 해석 사이에서 중간은 어디인가? 밥을 먹으면 설

거짓거리가 생기듯 한번은 돌봐주고 한번은 돌봄받는 식으로 살면 된다는 걸 친구들은 늘 보여 준다.

한번은 때리고 한번은 맞고…… 우리가 하는 모든 일이 우리를 아프게 한다. 잘못을 반복하고, 절교했던 친구가 돌아오기도 한다. 발간한 지 4년을 꽉 채운 인문잡지는 독자에게 어떤 친구로 다가갈까? 나에게 우정이란 혼자 말할 때는 어색하던 단어가 친구가 말하자 실재하는 것으로 느껴지는 일이다. 올가을 독자들이 《한편》의 말들을 받아들여 준다면 좋겠다. 내년 일력에도 실은 이 시처럼. "가을이 올 때마다/ 어떤 상황과 정취가 더해질까?/ 가을바람이 일어난다/ 맑고 차갑게."(유영, 「조말리」)

신새벽(편집자)

일러두기

[1] 저자의 주는 각주로 표시했고 참고 문헌은 권말에 모았다. 외래어 표기는 국립국어원의 외래어 표기법을 따랐으며 일부 관례로 굳어진 것은 예외로 두었다.

[2] 단행본은 『 』로, 논문, 기사, 영화 등 개별 작품은 「 」로, 잡지 등 연속간행물은 《 》로 표시했다.

작가-친구-연습

안담

안담　　무늬글방의 대표, 엄살원의 주인장, 얼룩개 무늬의 가디언. 쓰고 읽고 말하는 일로 돈을 벌고 가끔 연극을 한다. 우스운 것은 무대에서, 슬픈 것은 글에서 다룬다. 그러나 우스운 것은 대개 슬프다고 생각한다.

[주요어] #어딘글방 #작가의친구 #'나'라는주어
[분류] 문학 > 에세이

"글방에서 우리는
작가되기뿐만 아니라
작가의 친구되기도 훈련했다.
인용하는 연습뿐만 아니라
인용당하는 연습도 했다.
기꺼이 서로의 글감이 되어 줄 수 있는가?
글방에서 우정은
그런 의미를 포함하고 있었다."

'어딘'가의 여자들

우정을 주제로 쓰기가 마치 처음 겪는 어려움이라는 듯 순진하게 굴 수는 없다. 오히려 그건 너무 많이 시도해서 질려 버린 일에 가깝다. 나는 10대 후반부터 20대 초반까지 영등포구 하자센터의 '어딘글방'이라는 공동체에서 글쓰기를 훈련했다. 분명 모두에게 열려 있는데도 지독하게 남자 아닌 애들만 남는 공간이었다. 어딘글방을 처음 찾아갈 무렵의 나는 섹스 아니면 강간 얘기하는 화난 여자애였다.

그곳에서 나와 같고 다른 애들을 만났다. 똑똑한 애도 순진한 애도 잘 꾸민 애도 못 꾸민 애도 예쁜 애도 예쁨 같은 것엔 관심 없는 애도 있었지만 다들 글을 잘 쓰고 싶어 한다는 점만은 같았다. 그중에는 10년 후 등단 제도의 바깥에서 나타나 걸출한 에세이스트로 출판계와 독자들의 환영을 받게 되는 인물들도 있다. 그때는 그런 미래를 미처 다 알 수 없었음에도 우리는 그저 썼다. 무려 작가 되기를 원하는 사춘기 여자애들. 싱그럽고 징그러운. 그 틈바구니에 있고 싶어서 매주 강원도 봉평과 서울시 영등포구를 오갔다. 그 애들과 함께 쓰고 싶어서.

무엇에 관해 썼던가? 학교의 안팎, 내가 잤던 여자와 남자들, 장례식과 유서, 그때 그 음식, 디바들, 춤과 노래들, 어림과 늙음, 운명, 계절, 그의 죽음, 터미널에서 하는 생각, 장보기 목록, 이뻐죽겠고 미워죽겠는 친구, 또는 친구 없음, 버스와 택시, 수영과 달리기, 가질까 봐 무서워한 아기, 끝내 가지지 못한 아기, 우리 할아버지들의 직업, 싸움의 기술, 맞고 때린 일, 배신당하는 기분, 질투의 이력, 성폭행당하던 날의 날씨, 손과 얼굴, 황진이와 허난설헌과 논개, 먼 나라에서의 도둑질, 거기서 그 애와 사랑에 빠진 일, 엄마, 엄마의 엄마, 엄마의 엄마의 엄마, 그리고 나, 그리고 너…….

어딘은 이 이글거리는 이야기들을 혼신의 힘을 다해 받아 낸 스승이자 동료였다. 그러나 붐빌 때는 열 명도 더 되는 학생들의 이야기를 모두 합한 것보다도 그가 가진 이야기가 항상 더 많았다. 인어공주에서 출발한 이야기를 논개로 도착하게 하는 사람. 베트남, 연해주, 하와이의 여자들에 대해 말해 주는 사람. 경주를 말하다가 남영동을 말하고, 박완서와 박경리를 읽으라고 채근하는 사람. 고정희도 랭보도 인용하는 사람. 정약용에 대해서도 바오밥나무에 대해서도 인공지능에 대해서도 똑같이 할 말이 많은 사람. 스승에게도 한계란 게 있겠지만, 적어도 내가 그것을 목격할 일은 없다고 느낄 정도로 방대한 지식을 그는 품고 있었다.

어딘 이후로도 생의 길목에서 그런 여자들을 자꾸 마주쳤다. 무시무시하게 똑똑한 여자들. 머리가 짧고 결혼을 하지 않았으며 페미니즘이라고 말할 때에는 꼭 f 발음을 살리는 여자들. 그들은 하나같이 소화 기관이 나빴다. 그리고 잊기 어려운 목소리와 인상이 짙은 화술을 지니고 있었다. 타인의 마음에 말을 남게 하는 게 직업인 사람들이니까.

어느 날 책장을 쳐다보다가 민음사 세계문학전집

이 백인 남자들의 사진으로 빼곡하다는 사실을 발견하고 이상함을 느꼈던 기억이 난다. 어떻게 생각해도 내게 글은 여자가 쓰는 거였기 때문이다. 아직도 글을 쓸 때면 나는 머릿속에서 여성의 음성으로 혼이 난다.

작가 되기, 작가의 친구 되기

어딘글방에서 우리는 작가 되기뿐만 아니라 작가의 친구 되기도 훈련했다. 인용하는 연습뿐만 아니라 인용당하는 연습도 했다. 기꺼이 서로의 글감이 되어 줄 수 있는가? 글방에서 우정은 그런 의미를 포함하고 있었다. 어떤 경험과 말에 '내 것'이라는 딱지를 붙이는 건 치사하고 쩨쩨한 처사였다. 누가 나를 글에 써서 분하다면 나도 그를 글에 쓰면 된다. 공동으로 겪은 하루를 한 사람은 글로 써 오고 한 사람은 만화로 그려 오는 풍요가 글방에는 있었다. 아직 쓰이지 않았다면 이야기가 아니다. 따라서 '내 이야기였어야 할 이야기'라거나 '내가 쓰려고 했던 이야기'라는 표현은 틀렸다. 그가 썼다면 그의 이야기인 것이다.

글방에서 좋은 작가란 너와 나라는 진부한 이분법

을 탈피해 보려는 작가였다. 굵고 검은 자아의 윤곽선을 부단히 지우며 힘껏 투명해져 보려는 작가. 어설프더라도 주어 자리에 '너'나 '그'를 적어 보고 이해해 보려는 글들이 따뜻한 응원을 받았다. 그런가 하면 나라는 주어, 나에 대한 관심, 나의 감정으로만 가득한 글들은 호되게 혼이 났다. 잊을 만하면 부풀어 오르는 자의식을 바늘로 찔러 터뜨리면서 우리는 자주 울었다. 자다가 울고, 쓰다가 울고, 읽다가 울고, 담배를 피우다가 울었다. 훗날에는 두고두고 긴요할 창피의 경험이었다. 나의 경계를 흐리게 하여 세계의 물이 드는 일. 그런 희석의 감각이 어린 작가들에게는 죽음과도 같이 여겨졌을 것이다. 그 죽음들 끝에 더 크고 깊고 넓어진 '내'가 태어난다고 하더라도 두렵기는 매한가지였을 것이다.

작가의 좋은 친구가 되는 원리도 같았다. 친구의 글이 칭찬받을 때 마치 내가 칭찬받기라도 한 듯 기뻐하기. 나의 경험과 언어가 너의 글의 소재가 되었을 때 얼굴 붉히지 않기. 그런 훈련은 누구에게도 만만치 않았다. 가장 무던한 사람에게도 남이 받는 사랑을 생각하다가 잠 못 이루는 날은 찾아오기 마련이니까. 그런 밤에는 남의 글을 읽고 또 읽었다. 모든 문장이 마치 내가 쓴 것처럼 느껴질 때까지 읽었다. 그처럼 쓸 수 없는 슬픔을 가눌 수 없다면 가장 정확한 해석자의 자리라도 차지하려 했다. 질투하는 만큼 칭찬해 보려고 애쓰고, 분한 만큼 이해해 보려고 애썼다. 그렇게 노력해도 자신의 글이 혹평을 받는 날 학생의 마음에서는 어김없이 오래된 이분법이 들끓는다. 너이고 싶다. 내가 아니라, 너이고 싶다. 나와 너 사이에 도저히 너비를 헤아릴 수 없는 강이 도로 흐른다. 그간의 노력이 무색하게도.

'나' 밖에 쓰기

들어도 들어도 익숙해지지 않았던 스승으로부터의 혹평이란다면 단연 '자의식 과잉'이란 말을 꼽겠다. '자의식 적당'이나 '자의식 부족'이란 표현도 있었다면 공부가 조금 수월했을까? 그러면 그 상태들의 차이를 비교해 보며 지름길을 찾아낼 수 있었을까? 자의식 과잉이라는 말을 들을 때마다 나는 아무 길도 그려지지 않은 지도 속에 떨어진다고 느꼈다. 땀에 젖은 손에 달랑 '자의식 과잉'이라는 주소가 적힌 쪽지 하나를 쥐고서, 그 주소의 반대편을 찾아가라는 지령을 받은 기분이었다.

그 말이 정확하게 왜 수치스러운지도 모르면서 그 말만은 듣고 싶지 않아서 이렇게도 써 보고 저렇게도 써 보았다. 그래도 여전히 '나'가 지나치다는 평가가 돌아왔다.

나는 지금도 '나'라는 주어를 쓸 때마다 곧장 어깻죽지에 회초리가 떨어질 것처럼 움츠러들고는 한다. 글 어디에 '나'가 있나 샅샅이 수색한 뒤 그 모든 나를 죽이는 훈련을 집요하게 했기 때문이다. 이건 서툴고 성마른 모든 작가가 반드시 거쳐야 하는 훈련이기도 하다. 글방에서 나는 영원히 그 훈련에 합격하지 못할 거라는 생각을 했다. 그러다 점점 쓰지 않게 되었다. 글을 가져가지 않는 날이 글을 가져가는 날보다 많아지다가, 이윽고 글방을 떠나게 되었다.

글방 이후로 다시는 쓰지 않겠다고 생각했다. 스승의 말마따나 우아한 독자로 남는 것도 훌륭한 선택이니까. 머지않아 내게 독자가 될 힘도 남아 있지 않음을 알게 되었다. '그럼에도 불구하고' 써내기에 성공하는 씩씩한 동료들의 글을 마주치면 마음이 아팠다. 한동안 친구들의 글을 피해 다녔다. 글쓰기가 주는 두려움과 고통이야 글방의 누구에게든 똑같았을 텐데 어째서 내게는 회복도 성장도 주어지지 않았는지, 기어코 쓰려는 마음이 언제 부러졌으며 왜 다시 붙지 않는지 물어볼 사람들 역시 잃어버렸다.

작가가 되는 게 어려워지자 작가의 친구가 되는 일도 어려워졌다. 나는 쓰기를 그만두었지만 친구들의 글 속에는 왕왕 내가 등장했다. 내가 했던 말이 조사 하나라도 다르게 인용되거나 친구의 문체를 입은 채 나타나는 걸 견디기가 힘들었다. 그게 창피했다. 인용당하는 연습을 그렇게 하고도 아직 상처받는다는 사실이. 나는 친구들에게 나의 취약하고 비좁은 마음을 부디 이해해 주기를 바란다는 말과 함께 너희의 글에 더 이상 내가 인용되지 않았으면 한다고 부탁했다. 내 언어가 누구에게도 기록되지 않고 사라지기를 바랐다. 그게 내가 그토록 도달하길 바랐던 '나'의 소멸에 가장 인접한 길이었다.

'그럼에도 불구하고' 꾸역꾸역 '나'라고 되살려 적는 용기를 지닌 사람들도 있다는 사실을 그때는 몰랐다. 달군 인두를 향해 손가락을 뻗는 심정으로, 낙인이 남을 것을 뻔히 알면서, 심지어는 적극적으로 그 상처를 의도하면서 '나'라는 주어를 고수한 작가들도 있다는 사실을 누가 알려 주었다면 좋았을 것이다.

나를 괄호 칠 수 있는 글의 매끄러움 앞에서, 나-너-우리로 잡음 없이 이행하는 글의 밝은 사회성 앞에서, '우리'의 자연스러운 확장과 연결을 향한 믿음 위에 지어진 글들의 건강함 앞에서 희망이나 소속감 대신 외로움과 좌절감을 느끼는 사람들에게는 어떤 쓰기의 방법이 남는가? 사회가 자꾸 너는 뭐냐고 묻는 것 같은 환청에 시달리는 사람들, 그러다가 '나는'을 남발하게 된 자의식 과잉자들의 글은 어떻게 읽는가? 나를 함구하면 '우리'에 포섭되는 데 동의했다고 간주하는 정상성의 폭력에 맞서 버티고 있는 '나'를 어떻게 알아보는가? 존재하는 게 당연하지 않아서 삭제될 자유도 획득하지 못한 '나'들, 그런 사연으로 죽지 못한 '나'들을 어떻게 찾아내는가?

나는 너라는 긍정의 미소보다는, 나도 내가 아니라는 부정의 폭소만을 맞춤옷처럼 소화하는 사람들의 무리를 만났다면? 그런 질문을 던진 사람들의 계보와 좌표를 일찍 소개받았다면, 그랬다면 좀 더 나은 실패의 스타일을 익힐 수 있었을까? "내 몸에서 나가지 않는" 그 모든 "년들"에 대해 방언을 쏟아내는 김언희의 기세를 배웠다면. 나와 꽃과 죄수 사이에 등호를 놓고 말갛게 웃는 장 주네의 사랑을 배웠다면. 수치심의 경험도 자긍심의 경험도 '나'라는 주어 아래 기록하길 포기하지 않으며, 이 '나'들이 서로에게 내는 상처까지 드러냄으로써 끝내는 읽는 이를 여럿으로 쪼개 놓고야 마는 일라이 클레어의 악취미를 배웠다면. 그랬다면 글쓰는 친구들 곁을 떠나지 않아도 되었을까?

친구의 표정

친구들 때문에 쓰지 못한 시간이 길었음에도, 내가 다시 쓰게 된 것 역시 친구 때문이었다. 어느 날 오랜 친구가 자신이 하는 메일링의 한 코너에 글을 써 달라는 청탁을 해 왔다. 처음에 나는 이제 쓰는 손을 잃어버렸다고 대답했다. 친구는 넉넉하게 마감일을 정해 주며 나를 어르고 달랬다. 못 이기는 척 썼다. 더 이상 쓰고 싶지 않다고 거짓말하기엔 민망할 정도로 많은 분량의 글을 써서 보냈다. 이렇게 쓸 거면서 왜 그간 쓰지 않았냐고 친구는 물었다. 너무 쓰고 싶어서 쓸 수 없었다고 나는 말하지 않았다.

그 이후로 친구 없이는 글을 못 쓰는 사람으로 지낸다. 지난 초여름에는 아예 '친구의 표정'이라는 제목의 일간 메일링을 했다. 친구들의 말에 적극적으로 기댄 글들을 썼다. 쓰는 이들 사이 우정의 법도는 내가 기억하던 것과 같았다. 모두가 너그럽게 자기의 말을 빌려 주었다는 뜻이다.

언제부턴가 좋아하는 작가를 물으면 친구들의 얼굴이 떠오른다. 그들의 뛰어난 문장과 생각을 모셔 와 내 글의 부족함을 만회한 적이 수도 없이 많다. 그 대가로 나도 내 말을 그들에게 헤프게 준다. 이제는 친구들이 나를 어디서 어떻게 인용하든 크게 상관하지 않는다. 공교롭게도 '나는'이라고 너무 많이 쓰다가 그렇게 되었다. 원없이 '나'라고 써 놓고 보니 그 많은 나가 다 나일 리가 없는 것처럼 느껴졌다. 나는 무엇이라고 쓰는 순간 나는 그 무엇으로부터 멀어진다. 나는 무엇도 아니다. 그러므로 내 말은 너의 말도, 그의 말도 될 수 있다.

서로를 이렇게나 적극적으로 인용하는 무리가 있고 거기에 내가 속해 있다는 사실이 자랑스러운 한편, 또다시 한 글자도 쓸 수 없게 되는 날이 올까 봐 두려워

하곤 한다. 글 속에서 서로의 이름을 부르는 친구들을 보며 고향을 포기한 사람처럼 쓸쓸해하던 날들. 스스로 떠났으면서 따돌려지고 있다고 느끼던 날들. 어쩌면 이 무리의 바깥에 여전히 그가 있을까 봐 신경이 쓰인다. 꼭 나 같은 그가 나를 미워하고 있을까 봐.

바깥에 있는 춤

이 글에서는 어떤 친구의 이름도 어떤 친구의 말도 인용하지 않았다. 그건 얼마 전 내가 어떤 기록 불가능성의 기쁨을 보았기 때문이다.

화요일마다 친구들과 소울댄스를 배우기로 했다. 첫 수업이 끝나고 각자의 영상을 확인하는데 푸하하 웃음이 터졌다. 안무를 틀리지 않는 이가 없었다. 셋이서도 전혀 다르게 움직이고 있었다. 심지어 같은 선생님에게 배웠다고는 믿을 수 없을 만큼 다른 춤. 쓰기에 있어서는 나와 너를 자유자재로 넘나드는 작가들이 처절하게 나이기만 한 채로 춤추는 모습이 고스란히 카메라에 담겼다. 누가 봐도 우리는 너무 못하는 일을 하고 있었다. 말하자면 원본을 흉내 낼 수조차 없을 만큼

요령 없는 장르의 일을 아주 열심히 하고 있었다. 그래서 개는 어떻게 춤을 췄다고? 누군가 묻는다고 해도 나는 그 움직임을 재현할 수 없을 터였다. 기록도, 인용도 불허하는 춤. 나의 문자로 포섭해 지면에 눕힐 수 없는 너의 움직임. 갑자기 어려진 기분이 들었다. 모두가 내가 되는 법밖에 모르던 때로 돌아간 듯한 얼굴이었기 때문이다.

그래, 네가 거기 있구나. 내 바깥에. 오랜만에 그렇게 느꼈다. 서로에 대해 자주 쓰다 보면 가끔 그들이 내 안에 있는 것만 같다. 그건 물론 황홀하고 든든한 감각이다. 그러나 서로의 안에 있는 상태로는 서로의 춤을 볼 수가 없다. 친구를 보기 위해서 나는 우리의 바깥으로 나갔다. 우리의 몸이 떨어져 있다는 게 좋았다. 우리 사이에 금이 그어져 있다는 게. 이해 너머에 있는 영역, 그러므로 감히 기록할 수도, 인용할 수도 없는 영역이 건재하다는 게 좋았다. 나는 친구에 관해 쓸 수 없는 시간 속으로 들어가서 비로소 친구를 향해 팔을 뻗어 보았다. 그리고 그 시간에 관해서는 조금도 기록하지 않았다. 어떤 기억은 살아져야 하니까.

비(非)우정의 우정

이현숙

이연숙 닉네임 리타. 대중문화와 시각예술에 대한 글을 쓴다. 소수(자)적인 것들의 존재 양식에 관심 있다. 기획/출판 콜렉티브 '아그라파 소사이어티'의 일원으로서 웹진 '세미나'를 발간했다. 프로젝트 'OFF'라는 이름으로 페미니즘 강연과 비평을 공동 기획했다. 블로그(http://blog.naver.com/hotleve)를 운영한다. 2015년 크리틱엠 만화평론 우수상을, 2021년 SeMA-하나 평론상을 수상했다.

[주요어] #사회부적응자 #퀴어친밀성 #우정의똥

[분류] 철학 > 도서비평

“비우정의 우정이 제기하는 문제는,
내가 너를 얼마나 아느냐가 아니라
우리가 서로를 모르는데도 불구하고
어떻게 함께할 수 있느냐는 것이다.”

우정에 대해 말하기는 어렵다. 오랫동안 우정은 여성들에게는 불가능한 것('여자의 적은 여자')으로 여겨져 온 주제이고, 그만큼이나 복권이 시급하게 여겨져 온 주제이기도 하다. 주지하다시피 2016년을 기점으로 활발히 터져 나온 온라인을 기반으로 한 제4세대 페미니즘의 흐름은, 가부장제적 권위와 위계적(남성적) 관계 맺음의 대안으로 여성 간 수평적 관계의 가치, 요컨대 우정, 연대, 지지, 공감, 이해를 내세워 왔다. 이러한 경향성이 가장 노골적으로 반영되는 곳 중 하나가 바로 출판 시장이다. 그 결과 오늘날 우정은 서점에서 쉽게 찾아볼 수 있는 것이 되었다. 이런 상황이 내게 문제적으로 느껴진다면 그것은 우정이라는 주제가 단순히 한 개인이 자신의 인적 네트워크와 맺고 있는 우호적인 관계를 가리키는 것으로 축소된 것처럼 보이기 때문이다.

그런데 우호적인 관계를 맺는 것이 무슨 잘못이기라도 한가? 나는 세간에서 우정이라 불리는 관계, "친구 사이에 나누는 정신적 유대감"을 만들고 유지하는 일에 서툴다. 왜냐하면 누군가에게서 발견되는 매력과 흥미가 어떻게 에로틱한 성적 긴장으로부터 분리되는지 확신할 수 없으며, 또한 누군가와 오랜 기간 동안 쌓아 올린 공모 관계가 어떻게 '친구'라는 말로 간단히 내 삶과 분리될 수 있는지를 이해할 수 없기 때문이다. 특히 동성들과의 관계를 정의하는 데에 어려움을 겪는 이런 나의 성향은 오늘날 '퀴어 친밀성(queer intimacy)'이라는 개념을 통해 설명되곤 한다. 다시 말해 이성애 규범적인 관점에서 볼때 마땅히 분리되어야 할 친구, 연인, 선생, 동료, 적을 가르는 기준이 나에게는 부재하거나 모호하다는 것이다. 이는 더글러스 크림프의 말을 빌리자면 난교적인(promiscuous) 관계 맺음이다. 그런데 이것은 정치적으로도 윤리적으로도 우호적인 관계를 맺을 줄 알고 돌볼 줄 아는 사람들보다 한 치 나을 것이 없다. 왜냐하면 안 하는 것과 못 하는 것은 다르기 때문이다.

그러나 분명 우호적인 관계를 못 맺는 나 같은 사람들이 맺고 있는 관계 역시도 우정이라는 개념을 경유해 설명할 수 있는 방법이 있을 것이다. 이 글에서 나는 정상적이라 말해지는 사회 규범에 도무지 적응할 수 없는 괴짜들(queer)이 속할 수 있는 가장 미약한 공동체를 상상하기 위한 용어로 '비(非)우정의 우정'을 제안한다. 비우정의 우정이란 너와 나의 '같음'이라는 유사성과 동일성에 기반을 둔 우정이 아니다. 오히려 너와 나의 '다름'이라는 불화와 불일치를 기반으로 할 뿐만 아니라, 너와 나의 '특별함' 또는 '유일무이함'이라는 환상이 들어설 자리를 너와 나라는 '아무나'의 우연한 마주침으로 채운다. 너와 내가 결코 같지 않고 앞으로도 같을 수 없다는 것은 너와 가까워지고자 하는, 혹은 너를 소유하고자 하는 나의 입장에서는 고통스러운 일이다. 그러나 그처럼 영원히 반복될 너라는 대상을 향한 나의 오해와 오독에는 일종의 충실성이 있다.

아마도 이러한 관계를 가장 잘 예시하는 것이 저자와 독자의 관계일 것이다. 저자는 독자를 모른다. 독자도 저자를 모른다. 하지만 텍스트를 매개로 두 사람은 쓰고 읽으며 서로를 향한 헛발질을 지속한다. 이런 헛발질 속에서 완전히 저자의 것이라고도, 또 독자의 것이라고도 할 수 없는 공동적인 것이 일시적으로 생산된다. 이름 없는 공동적인 것으로 묶인 저자와 독자의 관계는 분명 우정의 한 형태를 보여 준다. 비우정의 우정은 우정을 개인이 소유한 인적 자본으로 한정하는 오늘날의 용법을 보다 공동적이고 익명적인 방식으로 전유하기 위해 필요한 이름이기도 하다. 그러므로 비우정의 우정을 제안한다는 것은 우정이 무엇인지에 대한 정의가 아니라 우정이 무엇이 되어야만 하는지에 대한 물음과 관계한다. 이 글은 바로 이런 물음 속에서, 우정이 아니라고 간주되는 것들로부터 우정을 발견하고자 했던 몇몇 저자들의 이름을 열거할 예정이다. 이들의 텍스트를 인용하는 것은 내가 그들과 맺고 있는 오랜 공모적 우정의 유일한 증거다. 그리고 그 증거는, 당연하지만 누구의 소유도 아니다.

'커피나 한잔'의 끈적한 부대낌

먼저 여성으로 사회화된 퀴어로서 내가 과잉 동일시했

던 저자인 철학자 아비탈 로넬의 일화를 예시로 들어 보자. 그는 『루저 아들』의 서문인 「고약한 대상과 씨름하며」[1]의 중반부에 이르러 이 책이 얼마나 어렵게 쓰여졌는지를 토로한다. 그러다가 무려 두 페이지에 걸쳐서, 갑작스럽게 '친구'들에 대한 적의 어린 불만을 기관총처럼 쏘아 댄다. "얼마나 많은 친구가 '커피나 한 잔'이라면서 나를 보고 싶어 하는 척 가장하는 겨우 그런 이유로, 나를 글 쓰는 책상에서 끌어내는지 당신은 모르지 않을까?"

계속해서 그는 성토한다. "나는 커피를 안 마신다. 내가 커피를 마시지 않는다는 걸 모두가 알고 있다." 그런데도 친구들은 그-망할 놈의-커피를 마시자고 끈질기게 제안하기에, 그는 이런 상황이 그를 "더욱 피해망상에 빠뜨린다."라고 쓴다. 아마도 그의 피해망상대로, 그의 친구들이 그의 성과를 질투해서 '커피' 핑계를 대며 고의적으로 그를 방해하러 오는 것일지도 모른다. 그런데 이어지는 문장에서 독자인 우리가 추론할 수 있게 되는 것은, '진짜' 문제는 그의 친구들이 아니라 바

[1] 아비탈 로넬, 염인수 옮김, 「고약한 대상과 씨름하며」, 『루저 아들: 정치와 권위』(현실문화, 2018).

로 아비탈 로넬 본인일 수도 있다는 것이다. 그는 자신의 글쓰기를 방해하는 친구들을 "공손하게 쫓아낼 때조차도" "죄책감의 되새김질에 25시간 내내 돌고 돌면서 꼼짝없이 붙들리기 때문에" 결국 "하루를 망"친다고 쓴다. 심지어 그는 몇몇 친구들의 제안에 '아니'라고 거절한다면 "정신에 심각한 결과를 낳고 심신을 쇠약하게 만드는 후유증"을 겪을 것이라고도 쓴다. 그러니까 그는 친구들의 제안을 거절할 수가 없는데, 이는 친구들에 대한 호감 혹은 호의 때문이 아니라 오로지 거절에 따르는 "후유증" 때문일 뿐이라는 것이다.

그의 이러한 태도는 일견 이해하기 어렵다. 그는 친구들을 거절할 수도 없고, 그렇다고 환영할 수도 없다. 그는 그냥 친구들을 견디는 것처럼 보인다. 아무도 그러라고 한 사람이 없는데 말이다. 죽음과 같은, 우정이 불가능하다고 여겨지는 지점으로부터 우정의 가능성을 출현시키는 작업을 해 온 자크 데리다의 제자이자 '친구'인 그는 다음과 같이 뇌까린다. "내 친구들은 나에 대해—내가 사실상 어떠한 제의에 대해서도 '예'라고 말하는 사람이 되도록 언도받았다는 사실을—안다." 데리다와 마찬가지로 그는 친구들의 "어떠한 제의"에 대해서도 "예"라고 답하면서, 그것이 얼마나 "견딜 수 없"고 "참을 수 없"는 일인지를 구태여 긁어 내리기를 주저하지 않는다. 이는 단지 상종하기 싫을 정도로 '꼬인', 복잡한 성격의 문제인가? 물론 그렇기도 하겠지만, 그만큼이나 그가 친구라는 이름으로 등장하는 타자를 무조건적으로 환대할 것을, 그리고 이러한 환대를 고집 또는 윤리로 삶 속에서 지속하기를 스스로에게 강제, 혹은 "언도"한 사람이기 때문일 수도 있다. 그는 마치 절대적인 교리에 복종하듯 '커피나 한 잔'이라는 치가 떨리는 요청에 응답함으로써 친구라는 이름의 타자에 자신의 곁을 내어주기를 자처한다.

하지만 그가 "예"라고 답할 수밖에 없다고 해서 '커피나 한 잔'이 가리키는 질척거리는 친교의 양식이 "우애라곤 없는(friendless) 문화적인 모욕"일 뿐이라는 사실로부터 사면되는 것은 아니다. 신변잡기적 수다와 뜨뜻미지근한 공감이 배경 음악처럼 흐르는 '커피나 한 잔'의 지긋지긋한 풍경에는 우정과 관련된 것, 더 강하게 말해 우정과 관련되어야'만' 하는 것이라곤 찾아볼 수 없다. 아무리 우리가 발붙이고 사는 현실에서 그것이 다정하고 '우정 어린' 행위처럼 해석되는 경향이 있다고 해도 말이다. 비단 커피뿐이랴. 친구들 사이의 '진심'을 주고받는 매개로 간주되는 '술이나 한 잔'도 마찬가지다. 특정한 만남의 양식에 의존하는 끈적한 부대낌의 형식으로만 관계가 존속될 수 있다면, 우리는 그것이 제거된 뒤에 그 관계란 도대체 무엇이 될 수 있는지 물을 수밖에 없을 것이다.

차이를 보존하는 차가운 우정

못 머리처럼 툭 튀어나온, 세속적이고 상투적인 우정의 표현에 대한 격렬한 혐오감. 김영민은 『동무론』에서 친구 아닌 '동무'의 형상으로 우정 혹은 연대의 단위를 제안하며 다음과 같이 말한다. "사귐은 비밀번호를 나누어 확인하고, 이심으로 전심하며, 특정한 문법과 어휘들을 나누어 쓰고, 관념의 제도와 코드를 다시 잇는 재미로 깨가 쏟아지는, 일종의 정신적 가족주의가 아니다. (……) 동무의 한 축은 말 그대로, '같은 것'이 '없는' 관계와 같은 것이다. 그것이, 임계와 경계와 한계를 걷는 삶과 더불어 위험한, 서늘한 관계일 수밖에 없는 이유가 바로 여기에 있다."[2] 서로의 절대적인 사이와 차이를 보존하는 "서늘한 관계"는 어쩌면 죽어도 친목상의 '커피나 한 잔'을 하기 싫은 사회부적응자들이 속할 수 있는 유일한 관계인지도 모른다. 얼핏 친구 간 거리 두기를 지향하는 듯 보이는 이처럼 차가운 우정론이, '커피나 한 잔'과 같은 친밀한 사귐의 양식이 실상 제한하는 우정의 정치적 급진성을 일깨운다.

김영민이 『동무론』에서 제시한 비우정의 우정은 사실 동서양을 막론하고 철학사에서 유구하게 반복되어 말해진 주제다. 다시 말해 우리가 우정이라 부르는 관계는 '나는 그를 안다'는 긍정이 아니라 '나는 그를 모른다'는 부정에서, 혹은 그런 긍정과 부정의 사이 또는 겹침에서 발생한다는 것이다. 아마도 이 주제에서 가장 유명한 경구는 아리스토텔레스가 말했다고 전해지는 "친구여, 친구가 없구나(O friend, there is no friend)"일 것이다. '친구'를 돈호하는 동시에 '친구'의 부재를 확인하는 이 수수께끼 같은 경구는 『인간적인 너무나 인간적인』에서 니체에 의해, 그리고 『우정의 정치학』에서 데리다에 의해 전유된다. 하지만 조르조 아

[2] 김영민, 「친구/동무, 섭동의 전후론」, 『동무론: 인문연대의 미래형식』(최측의농간, 2018), 219~220쪽.

감벤에 따르면 그들은 전략적으로 그리스어 원전을 오독했다고 한다. 원전의 의미는 '친구가 많은 자는 친구가 없다'는 뜻이다.

아감벤은 데리다가 아리스토텔레스를 고의적으로 오독한 이유가 "그 책의 전략상 우정은 긍정되는 동시에 문제시되어야" 했기 때문이라고 쓴다. 「친구」라는 짧은 에세이에서 그는 우정이라는 주제를 둘러싼 장뤽 낭시, 데리다와의 불화를 언급한 뒤 곧이어 아리스토텔레스를 제대로 독해하려는 자세를 취함으로써, 우정을 긍정하는 동시에 문제시하는 태도를 되풀이한다. 그렇게 함으로써 그의 여러 친구들이 등장하는 이 글에는 기이한 적대감이 감돈다. "친구들은 어떤 것(출생, 법, 장소, 취향)을 함께 나누지 않는다."[3] 아감벤은 친구란 흔히 정의되듯 공통분모를 함께 공유하는 사이가 아니라, 그 모든 공통분모에도 불구하고 결국 너와 내가 다를 수밖에 없음을 지각하는 경험을 통해 '함께 나뉜' 사이라고 말한다.

비평을 통해 동시대 저자들과 '공모적 우정'의 관

[3] 조르조 아감벤, 양창렬 옮김, 「친구」, 『장치란 무엇인가? 장치학을 위한 서론』(난장, 2010), 66쪽.

계 맺기를 시도했던 모리스 블랑쇼 역시 절대적인 차이의 보존을 강조한 바 있다. 그에 따르면 우리는 서로를 영원히 모르고, 그렇게 서로를 모르기에 보존되는 "무한한 거리성"[4]이 우리를 친구라고 부를 수 있게 만든다. 바로 이런 "순수한 절대적 간격"으로부터 발생하는 침묵, '나는 너를 영원히 모른다'는 의미의 침묵은 우정의 중단이 아니라 오히려 우정의 조건이 된다.

삶의 양식으로서의 우정

이처럼 철학자들이 친구 혹은 타자 앞에서의 절대적인 무지, 무능을 우회적으로 고백함으로써 우정을 공동화하는 방식으로 우정 속에서 비우정을 활성화한다면, 동성애자들은 우정을 삶의 양식의 문제로 확장함으로써 그렇게 한다. 물론 철학자인 동시에 동성애자일 수도 있다. 미셸 푸코가 하나의 예다.

오늘날 사랑과 우정을, 연인과 친구를, 선생과 제자를 뚝 잘라 구분할 수 있다고 믿는 관계 맺기의 형

[4] 모리스 블랑쇼, 류재화 옮김, 「우정」, 『우정』(그린비, 2022), 501쪽.

식들과 그에 뒤따르는 처세술에 적응하는 것은 '성숙한 어른'의 지표다. 그러나 동시에 그런 형식에 적응한다는 것은 사회를 구성하는 재생산의 단위에 적응하는 것이기도 하다. 그러므로 동성애자 혹은 퀴어의 관계 맺기란 결국 그 자신의 정체성을 안정화하는 절차가 되어서는 안 되고, 바로 그러한 정체성을 통해 완전히 새로운 삶의 양식을 창조하는 실험이 되어야 할 것이다. 이런 맥락에서 푸코는 「삶의 양식으로서의 우정」이라는 인터뷰에서 "동성애라는 문제가 발전해 향하는 곳은 우정이라는 문제"[5]라고 말한다. 그는 여기서 삶에서 잠깐 독특하게 솟아올랐다 곧 일상성의 리듬에 적응하게 되는 그런 일탈이 아니라, "어떻게 남자 둘이 함께 있을 수 있을까?"라는 실존적 질문을 가능하게 하는 동성애를 말하고 있다. 다른 쾌락, 다른 관계, 다른 삶을 통째로 원하게 만드는 욕망의 통로로서의 동

[5] 나는 이 인터뷰를 parkthomas1의 블로그에서 국역본으로 처음 접했다. https://blog.naver.com/parkthomas1/222954792696. 이후 이 글에서 인용하기 위해 참조한 영역본은 아래와 같다. Michel Foucault, "Friendship as a Way of Life," *Ethics: Subjectivity and Truth(Essential Works of Foucault, 1954~1984, Vol.1*(The New Press, 1998).

성애란 단지 어떤 성별을 원하는 문제가 아니라, "이런 식으로"가 아닌 다른 어떤 방식으로 타자와 관계를 맺을지에 대한 문제가 된다.

다른 어떤 방식? 톰 로치는 푸코의 인터뷰와 동명의 제목인 『삶의 양식으로서의 우정: 푸코, 에이즈, 그리고 공유된 소원함』이라는 저서를 통해 그의 우정론의 윤곽을 그려 보고 있다. 그의 연인이자 친구였던, 한마디로 '복잡 미묘한 관계'로 푸코의 삶에 동반했던 에르베 기베르에게 쓴 그의 편지를 예시로, 로치는 이들 간 우정의 특징을 "공유된 소원함"이라 정의한다. 기베르에게 쓰고는 있지만 정작 그를 향한 형식적인 안부 인사조차 없는 데다 그렇다고 푸코 자신의 이야기도 아닌 내용으로 채워진 이 기이한 편지는, 그가 매일 같은 시간 창문 너머로 훔쳐보는 건너편 집의 남자에 대한 묘사로 가득하다. 남자에 대한 충실한 묘사 끝에 편지는 황당하게도 이렇게 끝맺는다. "오늘 아침에는 창문이 닫혀 있어서, 그 대신 나는 너에게 편지를 쓰는 중이야."[6]

[6] Tom Roach, "A Letter and Its Implications," *Friendship as a Way of Life: Foucault, AIDS, and the Politics of*

로치는 이 편지 속에서 발견되는 푸코적 주제들을 그의 우정론을 정초하기 위한 밑거름으로 삼는다. 요컨대 (1) 반-고백적 담론, (2) 파레시아(진실 말하기), (3) 금욕, (4) 비개인성, (5) 소원함과 같은 주제들이 그것이다. 이런 주제들이 향하는 그의 우정론은 "결코 유토피아적이지 않다. 그것은 배신, 거리감, 잔인한 정직성이라는, 실제로 소원함에 기반을 둔 비인격적 친밀감이 만들어 내는 것이다. 그러니까 직설적으로 말하자면, 우정의 똥인 셈이다. 그러나 관계의 가장 문제적인 측면들이 우정의 가장 중요한 기초가 될 때, 우리는 새롭게 주체적이며 공동체적인, 그리고 정치적인 형태를 상상할 수 있게 될 것이다."[7]

"우정의 똥"으로부터 "우정의 가장 중요한 기초"를 정초하려는 로치의 노력은 상식적인 수준에서는 이해하기 어려운 것이다. 그러나 그런 상식적인 수준으로부터 항상 탈락할 수밖에 없는 '우리'의 우정이란 남들 눈엔 항상 '똥' 같은 것이다. 그러므로 더 많은 자격 미달의 우리와 가능한 우정을 상상하기 위해 바로 이

Shared Estrangement(SUNY press, 2012), p.19.
[7] Ibid., p.7.

수준에서 출발하지 않으면 안 된다. 흥미롭게도 푸코의 우정론의 토대가 되는 '비인격적 친밀감'은 로넬의 '커피나 한 잔'에 대한 혐오, 김영민의 '서늘한 관계'에 대한 옹호, 아감벤의 '함께-나눔'과 공명한다. 이처럼 친구의 정체성도, 과거도, 얼굴도 중요하지 않다고 말하는 비우정의 우정이 제기하는 문제는, 내가 너를 얼마나 아느냐가 아니라 우리가 서로를 모르는데도 불구하고 어떻게 함께할 수 있느냐는 것이다.

자치 언어를 찾는 방법

김정은

김정은 서울대 국사학과를 졸업하고 서울대 대학원 국어국문학과에서 여성 지식인들이 여러 모임과 교류를 주관하며 자율적인 여성주의 매체《또 하나의 문화》를 기획·발간한 실천이 지닌 의미를 탐구한 논문으로 박사학위를 받았다. 지식인과 대중, 고급문화와 저급문화, 학술적 글과 대중적 글 등의 공고한 이분법과 경계를 허물고 위계를 해체한 글쓰기와 문화적 실천에 관심이 많다. 주요 논문으로 「광장에 선 여성과 말할 권리」, 「누구의 문학인가」 등이 있다.

[주요어] #여성적글쓰기 #소집단 #친구의친구

[분류] 국어국문학 > 문화연구

“이것이 우정이라는 방법의
생산성이다.
우리는 친구가 아닌
친구의 친구로 인해
새로운 세계와 인식으로 인도되며
자신의 언어를 갱신한다.”

> '또 하나의 문화'는 인간적 삶의 양식을 담은 대안적 문화를 만들고 이를 실천해 가는 동인들의 모임입니다. 이 모임은 남녀가 진정한 벗으로 협력하고 아이들이 자유롭게 자랄 수 있는 사회를 꿈꾸며, 특히 하나의 대안 문화를 사회에 심음으로써 유연한 사회 체계를 향한 변화를 이루어 갈 것입니다.

1984년 결성된 '또 하나의 문화'는 조형, 조한혜정, 조옥라, 장필화 등이 남녀평등 문제에서 출발해 한국 사회에서 새로운 대안 문화를 모색하고자 한 동인 모임이다.[1] 줄여서 '또문'이라 불린 이들은 계급 담론과 노동자 정체성이 특권화된 1980년대 대항 공론장에서 노동 현장이 아닌 가정과 학교 등을 새로운 현장으로 부각했다. 이화여대, 연세대, 서강대 등에 소속된 동인들은 서울 신촌 지역에 사무실을 차리고, 이를 근거지로 삼아 여러 모임을 주관했으며 모임의 결과물을 정리하고 다듬어 무크지 《또 하나의 문화》(1985~2003년)를 펴냈다. 활자 매체를 통한 운동으로 20여 년 동안 한국 사회에 관한 새로운 의제를 발굴했다.

또문 동인들은 소모임을 통해 서로 관심사와 고민이 비슷한 이들끼리 수평적으로 교류하는 것을 지향했다. 취지에 동의하는 이라면 누구나 가입할 수 있는 회원제 형식의 모임은 뉴스레터를 통해 연결되어 있기도 했다. 여성 지식인만이 아니라 주부, 대학생, 직장인에게 소통 공간을 제공하면서 지지 기반이 되어 주었다.

나는 이들이 제기한 어떤 담론보다 여성주의 지식을 공동체적으로 생산했다는 점이 신기하고 선구적으로 보였다. 여성주의 지식 생산을 하고 싶었던 여자 대학원생으로서 '보편적' 학문을 하고 있지 않다는 눈총

[1] 뒤이어 조은(동국대 사회학), 고정희(시인), 박혜란(이후 《여성신문》 편집위원) 등이 합류했으며, 이경자, 김혜순 등의 여성 문인들, 윤석남(화가), 박영숙(사진가) 등의 다른 분야의 창작자 역시 참여했다.

속에 고립감을 느끼면서도, 나와 비슷한 작업을 하고 있었던 이들에게는 무턱대고 '연대감'을 느끼기도 했던 나 자신에게 또문 자체가 부럽고 중요한 표본으로 다가왔다고 할까.

현재 출판계에서 주목받고 있는 이길보라, 이슬아, 하미나 등 1990년대생 여성 필자들은 모두 같은 글방에서 함께 어울리면서 자기 언어를 찾았다. 어딘글방을 운영한 김현아는 또문이 인큐베이팅한 대안학교 하자센터의 교사였으며, 글방은 또문의 사무실을 사용하기도 했다. 이처럼 소집단에서 서로의 언어를 찾아가는 우정이라는 방법은 단지 과거의 사실이 아니라 지금도 자기 언어를 갱신하는 구체적 훈련 방식으로 활용된다.

혜자와 그녀의 친구들

내가 또문과 최초로 연결된 계기는 고정희라는 여성 시인이다. 고정희는 광주의 일을 잊지 못한, 민중을 사랑한 시인이자 여성해방문학의 탄생을 주도한 또문의 아이콘과 같은 인물이다. 그런데 또문에서 그의 활동을 살펴보면 그의 여성해방문학과 관련한 활동이 시 창작에 제한된 것이 아님을 알 수 있다. 『여성해방의 문학』에서 고정희는 중요한 기획자·편집자 역할을 했던 것이다.[2] 또문이라는 지대에서 공동의 움직임으로 여성주의적 문학 담론을 만들어 나갈 수 있다는 생각은 고정희가 쓴 권두시 「우리 봇물을 트자」에서 잘 드러난다.

오랫동안 홀로 꿈꾸던 벗이여
그대 홀로 꿈길을 맴돌던 봇물,
스스로 넘치는 봇물을 터서
제멋대로 치솟은 장벽을 허물고
제멋대로 들어앉은 빙산을 넘어가자

고정희는 여성해방적 언어가 계속해서 샘솟도록 물을 대는 작업을 여러 여성들이 연결되어 할 수 있다고 믿었다. 특히 문학 분야의 남성 중심성을 비판적으로 인식하면서 또문에서 문학 관련 여러 소모임을 결

[2] 『여성해방의 문학: 또 하나의 문화 3호』(평민사, 1987).

성하고 적극적으로 참여하는 한편, 또문에 여러 여성 작가들을 불러 모으는 역할을 했다.[3]

또문의 뉴스레터 《동인회보》에 실린 한 기사는 고정희의 「한국 여성문학의 흐름」에 개입한 다른 이들, 저자와 말을 주고받았던 이들을 고려해야 한다는 것을 보여 준다.[4] 여성 글쓰기를 활성화했던 조건으로 '자기만의 방'만이 아니라, 여성들이 모인 '공동의 방'을 상상해 볼 수 있는 것이다. 이는 활동 반경이 넓었던 고정희로 인해 문단에서 활동하던 많은 여성 작가들이 『여성해방의 문학』에 글을 썼을 뿐만 아니라, 고정희의 글쓰기 역시 또문이라는 지지 기반과 소통 공간으로 인해 가능했음을 뜻한다. 또문 동인들과 '또 하나의 문화'라는 매체의 여성해방의 문학 기획이 있었기에 고정희 역시 여성주의적인 시작(詩作) 활동을 강하게 밀고 나갈 수 있었다.

[3] 이에 대해서는 김정은, 「1990년대 여성주의 출판문화운동의 네트워킹 행위자로서 고정희의 문화적 실천」, 《아시아여성연구》 60(2)(2021)에서 자세히 다루었다.

[4] 「또 하나의 문화를 창조하는 동인들의 모임」, 《동인회보》 3, 1985년 4월 20일, 9쪽.

친구의 친구라는 연결망

한국문학사에서 페미니스트 시인을 대표하는 김혜순 역시 고정희의 초대로 '또 하나의 문화'라는 지대에 최초로 접속한 이래 또문과 지속적으로 연결된 이였다. 『여자로 말하기, 몸으로 글쓰기』(1992)에서 김혜순은 양선희의 시 「나의 가롯 유다」에 대한 비평으로 여성 시인의 발화에 주목한다. "보잘것없고 잡스러운 자신의 일상을 이것저것 늘어놓고, 날마다 다른 얼굴을 바꾸어 달고 나타나는 억압의 실체 같은 것에 휘둘리면서 너스레"나 떠는 언어란 "선택"하는 것이 아니라 "배열"하는 것이다. 이러한 '환유'적 언어는 "더 이상 전체를 말할 수" 없는 후기산업사회에서 쓰일 수밖에 없는 시라는 것이다.[5] 그런데 이러한 김혜순의 논의는 그가 여성 언어의 입지와 전망에 대해서 고민을 전개했던 또문에 접속하고 있었기 때문에 생산될 수 있는 것이었다. 1990년대 초반 또문에서는 페미니스트 전망과 포스트모던 전략을 연결하는 것이 모색되고 있었다.[6]

[5] 김혜순, 「페미니즘과 여성시」, 『여자로 말하기, 몸으로 글쓰기: 또 하나의 문화 9호』(또 하나의 문화, 1992), 223~224쪽.

김혜순은 "시는 여성적 장르이고, 모름지기 시인이라면 그, 그녀는 귀신에 들리듯 여성성에 들린다."라는 그 특유의 시론을 통해 환유가 여성성과 연결된다는 논의를 다시 펼쳤다. 환유적 정황을 즐겨 구사하는 여성 시인은 하나의 의미를 고정시키는 '중심'으로 존재하지도, 대상을 영토화하지도 않는다. "은유적 고정성"이 아닌 "환유적 부유성"으로 대상 또는 타자에게 시적 주체의 자리를 내어주며, 동일화가 아닌 "접촉을 통해서 새로운 시적 언어를 생성"한다.[7]

> 왜 내 마음은 단칼에 잘라지지 않는 걸까요? 깨끗이라고 말하면서 깨끗이 헹구어낼 수 없는 걸까요? 1980년엔 결혼을 했어요. 불이 났어요. 늑막염에 또 걸렸어요. 그 다음해부터 라일락 꽃잎이 냄새가 안 나요. 종이꽃들이 폈다가 져요. 물 속에선 물꽃들이 폈다가 지고, 불 속에선 불꽃들이 피었어요. 죽은 나

[6] 리오타르의 '소서사'에 관한 논의를 원용한 인류학자 김성례의 다른 글과 김혜순의 위의 글이 공명하고 있기도 했다. 김성례, 「여성의 자기 진술의 양식과 문체의 발견을 위하여」, 위의 책 참조.

[7] 김혜순, 『여성이 글을 쓴다는 것은』(문학동네, 2002), 154~155쪽.

무도 정원에 서 있어요. 죽은 지 7년이 지났는데 아직도 서 있어요. 해지고 나면 혼자 열 손가락 벌려 저 혼자 타올라요. 1974년엔 강둑에서 반딧불을 잡았어요. 잡아서 주머니에 넣었어요. 불꽃은 타올랐다 꺼지나요?[8]

여성문학 담론 발생의 환유적 정황은 여성 무가(巫歌)라는 구술문화 전통에 대한 김성례와 김혜순, 그리고 또문 동인이자 제주 출신 여성 작가인 한림화의 공통된 관심에서도 엿볼 수 있다. 김성례가 여성의 '신들림'을 문화인류학적으로 분석했다면, 한림화는 제주 여성 문화에 대한 해석과 4·3을 증언하는 데 있어서, 김혜순은 여성적 글쓰기를 해명하는 데 있어서 여성 무가를 중요한 실마리로 삼았다. 이들은 공통적으로 산자와 망자가 만나는 '영게울림'(제주의 무속 용어로 원혼의 혼령에 씐 무당이 통곡하는 일), 일종의 빙의에 관심을 보였다.

그런데 이들은 또문이라는 지대에서 '빙의'에 공

[8] 김혜순, 「너와 함께 쓴 시」, 『나의 우파니샤드, 서울』(문학과지성사, 1994) 중에서.

통적으로 관심을 지녔을 뿐만 아니라 서로의 언어에도 '빙의'되었다. 김성례는 구술 인터뷰의 대상으로 삼았던 심방(무당의 제주 방언)을 소개해 주고 자신에게 제주 4·3사건과 굿의 연관성에 대한 통찰을 준 이가 한림화라고 밝혔다.[9] 또한 김성례는 김혜순과 '문화권력 모임'을 함께하며 서로 영향을 주고받았는데 김혜순은 바리데기와 관련한 공부에 김성례의 도움을 많이 받았다고 밝힌 바 있다.[10]

이때 김혜순과 한림화는 서로를 직접적으로 언급한 적은 없다. 하지만 김혜순이 한림화를 직접 언급하지 않는다 해도 우리는 연결망을 상정할 수 있다. 김혜순이 김성례를 통해 한림화와 연결될 수 있기 때문이다. 이것이 우정이라는 방법의 생산성이다. 우리는 친

[9] 김성례, 『한국 무교의 문화인류학』(소나무, 2018) 참조.

[10] 김혜순은 2002년 『여성이 글을 쓴다는 것은』을 출간을 기념한 한 인터뷰에서 '문화권력모임'과 관련한 질문에 특히 바리데기와 관련해 "김성례 교수에게서 많이 배웠다."라고 말했다. "당시 미셸 푸코가 유행하면서 여기저기 '권력'이란 말이 붙어다녔다. 토론 결과를 책도 내지 말고 세상에 알리지도 말자는 모임이었다. 서강대 종교학과 김성례 교수에게서 많이 배웠다. 바리데기는 기본 뼈대만 같은 이본(異本)이 수십 종이고, 그것들은 각각 연희 때마다 살아 있는 텍스트가 된다는 것도 알게 됐다. 바리데기를 글로 읽지 않고 파동으로 받아들이면서 흡수하게 된 것이다." 「"강요된 주부·엄마의 정체성 벗고 싶었다"」, 《조선일보》, 2002년 1월 3일.

구가 아닌 친구의 친구로 인해 새로운 세계와 인식으로 인도되며 자신의 언어를 갱신한다. 나의 친구가 하는 말은 사실 그 친구의 친구에게서 온 말일 수 있으며, 내가 친구의 말에 공명했던 순간 일어난 일은 친구의 친구와 공명한 일이기도 했음을 우리는 잘 알고 있다.

수행되는 우정

우정의 방법론을 체험했던 1990년대생 저자들의 솔직한 고백은 우정의 방법론이 무턱대고 낭만화될 수 없는 것임을 드러낸다. 이슬아가 밝히듯이 선생님이 있는 글방에서 우정은 때로 '경쟁'의 관계로 나타나기도 했다.[11] 이는 여성 저자와 그녀의 친구들의 관계성을 더 복잡하게 볼 필요가 있음을 보여 주는 것이다.

그들은 왜 서로를 사랑하고, 신뢰하려 했을까? 혼자서 외롭게 글을 쓰고 빛나는 결과물을 만들어 낸 위

[11] '연재 노동자' 이슬아는 최근 한 인터뷰에서 어딘글방에서 만난 친구들과의 관계성을 다음과 같이 밝혔다. "눈물로 범벅된 그 치열한 경쟁의 나날들을 통해 성장했다." "선생님은 (……) 동료의 성공을 진심으로 축하하는 법도 '빡세게' 가르쳤어요." 「이슬아, 생계 위해 쓴 '연재 노동자'가 '브랜드'가 되기까지」, 《조선일보》, 2023년 8월 2일.

대한 저자라는 자리에 자신을 동일시하지 않기 때문일 수 있다. 여성 저자들은 '나'의 존재와 언어가 타자와의 만남과 접촉, 그들의 돌봄에서 비롯되기도 한다는 점을 의식하고 있는 것이다. 위대한 저자로 신화화되는 것은 자신의 저자성을 박제하는 것이며 자신의 언어가 갱신된 순간과 그다지 상관이 없는 일일 수 있다.

여자들 간의 신뢰와 애정은 현재를 살아가는 여성들에게도 그 유효성을 여전히 실험·증명하고 싶은 영역이다. 자신의 일상을 늘어놓는 작가의 메일링 서비스를 구독하며 그녀의 언어에 접촉하려는 독자들 역시 우정을 수행하고자 한다. 그래서 자신의 언어만이 아니라 여자와 여자의 관계에 대한 이야기도 갱신하고자 한다. 이러한 우정의 욕망은 여자와 여자의 관계에 대한 오랜 왜곡을 가로지른다.[12] 우정의 방법론을 조명하는 일은 여성 저자를 초라하게 만드는 일이 아니라 여자들을 애정하고 신뢰하는 방법이 될 것이다.

[12] 버지니아 울프는 픽션에서 "클로이는 올리비아를 좋아했다."라는 문장이 등장한 것에 주목하며, 여성들간의 애정이나 신뢰에 대한 묘사가 "아직까지 아무도 들어가 본 적이 없는 그 거대한 방에 횃불을 비출 수 있"는 것이라 말한 바 있다. 버지니아 울프, 이미애 옮김, 『자기만의 방』(민음사, 2016), 126쪽.

나의 주변과 현장에서 끊임없이 학문적 시민권을 의심받아야 했던 여성문학 연구자로서 나는 오히려 내가 얼마나 우정에 기대 왔는지를 체험적으로 인식하게 되었다. 여성주의 지식 생산을 하는 주변의 선생님·선배·후배·동료들이 없었다면, 내가 원하는 작업을 하기가 지금보다 훨씬 어려웠을 것 같다. 부끄럽게도 나는 절교를 잘하지만, 그녀가 한때 나를 돌봤다는 사실을 기억하며 끊었던 여자 관계들을 다시 이었다. 이 글을 나에게 청탁하고 편집하며 나의 글을 돌보고 있는 편집자도 그런 나의 여자 관계 중 한 명이다. 글을 쓰는 과정에서 그녀가 나를 위해 수행한 편집자의 일은 그녀가 대학 시절 나의 친구이기 때문에 수행했던 돌봄과 정확히 겹쳐진다. 대학 시절 나에게 보여 준 우정 역시 편집자가 하는 일과 같았다. 그녀가 곁에 있었기 때문에 내가 나의 언어를 찾을 수 있었다는 것. 나의 언어가 그녀의 돌봄에 의지했다는 사실 앞에서, 오해와 불신 그리고 적의는 차츰 옅어졌다. 우정에 대해서 말할 때 이런 변덕스러운 '워맨스(womance)'도 왠지 함께 말해져야 할 것 같다.

털 고르기를 하는 시간

김혜나

김예나 이화여자대 에코과학부, 일본 교토대 영장류연구소, 서천 국립생태원, 네덜란드 레이던대 인지심리학연구소에서 영장류를 연구했다. 최근 제주도에 동물·환경 과학 소통 단체 '유인원(You In One)'을 설립하여 동물과 환경에 대한 이해와 관심을 높이는 활동을 하고 있다. 유인원의 공동대표 안재하는 생명다양성재단 설립 멤버이며 과학과 대중을 연결하는 일을 하는 내셔널지오그래픽 아시아 연구원이다.

[주요어] #공감 #신호 #사회적유대감

[분류] 과학 > 생명과학 > 영장류학

"한 가지 분명한 것은
우리는 타인과의 연대를 통해
건강하게 살 수 있다는 것이다.
이는 무리 지어 사는
모든 동물에게 공통으로 해당하는
생물학적 사실이다."

며칠 전 구르미가 쓰러졌다. 구르미는 나와 함께 살고 있는 친구의 오랜 동거견(*Canis lupus familiaris*)이다. 친구와 나는 구르미가 박보검과 천우희를 닮았다고 주변인들에게 소개한다. 물론 모두가 동의하는 것은 아니다. 구르미를 안 지는 제법 오래되었지만 구르미와 우정 혹은 사랑을 쌓게 된 기간은 아직 1년이 안 되었다. 구르미에게 느끼는 이 감정을 나는 내 가족에게서, 친구에게서 혹은 사랑하는 사람에게서도 느낀다. 그렇다면 구르미는 나에게 가족일까, 친구일까? 그도 아니면 연견(戀犬)일까? 구르미에게 나는 어떤 관계로 정의될까?

우정과 사랑은 어떻게 구분할 수 있을까? 보편타당한 정의가 있기는 할까? 얼마 전 있었던 친구의 생일

파티에서 '사랑' 하면 연상되는 단어를 나열하는 게임을 했는데, 한 친구는 고통, 신뢰, 관심, 열정, 편안함, 섹스, 그리움 그리고 우정이라는 말로 사랑을 떠올렸다. 게임에 참여한 친구들의 답이 겹치는 부분도 있었지만 사랑은 저마다 다른 방식으로 나타난다는 진리를 다시 한번 깨달은 순간이었다.

잘못 읽어 버린 신호

어떤 관계로 정의되든 나는 아직 구르미에게 많이 서툰 동거인이다. 침팬지(*Pan troglodytes*)나 보노보(*Pan paniscus*)의 행동이나 표정을 보며 그들이 어떤 상태인지 파악하는 능력은 남들보다 조금 뛰어나지만, 함께 사는 구르미의 언어를 이해하는 것은 초보 수준이다. 구르미가 갑자기 쓰러진 날 병원에서 나는 긴장한 구르미를 쓰다듬고 안고 뽀뽀했다. 구르미가 이런 나의 행동에 힘을 얻고 안정을 되찾으리라 기대하며. 보다 못한 친구가 한마디 했다. "구르미가 싫대." 그랬다. 구르미는 내가 쓰다듬으려 할 때마다 고개를 치웠는데 나는 친구의 말을 듣고 나서야 그 행동이 싫다는 표현임을 깨달았다. 이 직관적인 신호를 왜 읽지 못한 것일까? 아니면 읽고도 무시한 것일까?

이러한 참사는 상대방의 행동 신호를 취사선택해 받아들이는 나의 오랜 습성에서 비롯됐다. 누군가의 신호를 어느 정도의 강도로 느끼고 해석할 것인지는 종의 생물학적 특성에 의해 정해지거나 조절되지만, 각 개체가 살아온 환경에서 자신이 직접 경험하거나 주변에서 얻은 지식에 따라 조절되기도 한다. 개의 의사소통에서 귀의 움직임은 중요한 신호다. 개는 다른 개의 얼굴을 볼 때뿐 아니라 사람의 얼굴을 볼 때에도 귀에 집중한다.[1] 한편 사람의 의사소통에서는 눈의 역할이 중요하므로 우리는 개를 직접 길러 보거나 그 습성에 대해 알기 전까지 개의 얼굴 중 눈에 가장 집중한다. 이러한 행동 특성은 개의 의사소통을 이해하면서 변한다.[2] 나의 접근과 터치에 구르미가 보인 하

[1] Correia-Caeiro, C., Guo, K., & Mills, D.S., "Perception of dynamic facial expressions of emotion between dogs and humans," *Animal Cognition* 23(2020), pp.465~476.
[2] Michele Wan, Niall Bolger, & Frances A. Champagne, "Human Perception of Fear in Dogs Varies According to Experience with Dogs," *PLoS ONE* 7(12)(2012), e51775.

품, 코 핥기, 몸 털기, 고개 돌리기와 같은 행동이 개가 긴장하거나 스트레스를 받을 때 상대에게 보내는 카밍(Calming) 시그널이라는 것을 알고 난 뒤 나의 행동이 조금씩 바뀐 것처럼 말이다.

영장류와 내가 보낸 시간

내가 인간 아닌 동물과 쌓은 가장 오래된 우정 혹은 사랑의 관계는 침팬지와 오랑우탄, 보노보와 맺은 것이다. 2009년부터 시작된 영장류에 대한 관심과 열정은 공부를 하면서 알게 된 그들의 행동, 생태, 인지, 감정 등의 지식과 함께 커졌다. 석사과정 지도교수였던 최재천은 자신의 책이나 강연을 통해 늘 "알면 사랑한다."라는 메시지를 전한다. 언제 처음 접했는지 모를 만큼 자주 들은 이 말은 사실 과거에는 큰 의미로 다가오지 않았다. '안다'는 말의 뜻을 깊게 생각하지 않아서였을까? 연구를 시작한 후 지적 차원의 호기심 해결을 넘어 서서히 '알아가게 된' 영장류와 나의 관계는 나와 그들의 유사성을 발견하면서, 그들의 행동에 대한 나의 이해의 폭이 넓어지면서 더욱 가까워졌다.

네덜란드의 영장류학자 프란스 드 발은 공감(empathy)에 대해 이렇게 설명한다. 어떤 개체가 자신과 유전적으로 가깝거나 비슷한 점이 많을수록, 그들과 친숙할수록 그리고 그들을 둘러싼 상황에 대한 경험이나 정보가 많을수록 공감의 가능성이 커진다고 말이다.[3] 상대방과 유전적으로 가깝거나 비슷한 점이 많다는 것은 곧 상대가 감각적으로 느끼고 인지하는 부분을 비슷하게 느끼고 인지할 수 있다는 뜻이다. 가령 우리는 침팬지의 굶주림보다 인간의 굶주림에, 다른 (생물학적) 성보다는 같은 성이 겪는 상황에 더욱 쉽게 공감한다. 상대에게 친숙하거나 상대에 관한 과거의 경험, 정보가 많다는 것 역시 비슷한 맥락에서 이해할 수 있다. 우리는 자식을 낳아 보지 않았을 때는 출산의 고통을 전혀 알지 못하지만 직접 출산하거나 그와 비슷한 고통을 겪은 뒤에는 그 고통에 공감할 수 있다. 중요한 점은 선천적으로든 경험을 통해서든 자신이 상대방의 상황을 느끼고 이해할 수 있는 상태일 때 공감의 가능성

[3] Preston, S. & De Waal, F., "Empathy: Its ultimate and proximate bases," *Behavioral and Brain Sciences* 25(1) (2003), pp.1~20.

이 커진다는 것이다. 이를 뒷받침하는 실제 연구 사례는 무궁무진하다. "알면 사랑한다."라는 말 역시 상대에 대해 알면 더욱 공감할 수 있고 자연스럽게 사랑하게 된다는 의미가 아닐까?

영장류의 행동과 인지에 대한 탐구에 이은 침팬지와의 우정 쌓기는 일본 교토대 영장류연구소에 입학하면서 본격화되었다. 연구소의 하루는 침팬지 아침 식사를 준비하는 것부터 시작한다. 보통 주 2~3회 당번을 하는데 적어도 7시 30분까지는 출근해야 침팬지들이 여유롭게 식사를 즐길 수 있다. 아침 식사 시간에 늦지 않으려 힘차게 자전거 페달을 밟아 연구실까지 긴 오르막을 오른다. 숨을 헐떡이며 주차를 한 뒤 오르막길을 또 하나 걷는데, 그 길 중간 즈음에서 난 항상 멈춰 서야 했다. 50미터는 족히 떨어진 초록색 빌딩에서 나를 보고 입을 벌리며 인사하는 클로에에게 답을 해야 했기 때문이다.

클로에는 프랑스 동물원에서 온 암컷 침팬지다. 시원시원하고 매력적으로 생긴 클로에를 처음 보는 사람들은 왕왕 그를 다정한 침팬지로 오해한다. 살가워 보이는 겉모습에 속아 거리를 가까이하면 물세례를 받기 일쑤다. 연구자들 사이에서는 조심해야 할 고약한 침팬지로 통했다. 하지만 난 이 고약한 클로에가 좋았고 클로에와 마주할 때면 매번 침팬지식 인사를 주고받았다. '어'와 '에', '오' 그 중간 어디 즈음에 속하는 입 모양으로 거의 날숨으로만 짧게 끊어 "에! 에! 에! 에! 에!"라고 빠르게 소리를 내뱉으면서 머리와 어깨를 위아래로 빠르게 움직인다. 주로 서열이 낮은 개체가 높은 개체에게 많이 하는 침팬지의 이 인사법은 상대에게 공격 의도가 없음을 보여 준다.

아침 식사가 끝나면 수컷 침팬지 곤과 이따금 술래잡기를 했다. 다른 침팬지들이 숫자 나열하기, 그림 맞추기 실험에 참여하는 것과 달리 곤은 컴퓨터로 하는 실험에 관심이 없었다. 이 젠틀하고 점잖은 수컷 침팬지가 좋아하는 것은 놀랍게도 술래잡기였다. 우리가 어릴 때 술래잡기를 하고 노는 것처럼 침팬지에게도 술래잡기는 가장 인기 있는 놀이다. 이 놀이 행동은 보통 어린 침팬지에게서 가장 흔한데, 어린 개체들은 이 행동으로 상대방의 힘과 기술이 어느 정도인지, 어느 지점에서 과한 놀이 행동을 멈춰야 하는지 등의 사회적 신호를 익히며 유대를 쌓는다.

얼마 전 만난 다른 침팬지와 술래잡기를 할 때는 이상하게 가슴이 뭉클했다. 아주 오랜만에 만난 이 침팬지는 길에서 마주쳤다면 그냥 지나쳤을 정도로 얼굴을 알아볼 수 없을 만큼 자라 있었다. 하지만 녀석과 인사를 나누고 술래잡기를 하며 어색함과 경계는 빠르게 사라졌다. 잃어버렸던 친구를 되찾은 것처럼 감격스러운 순간이었다.

사랑도 우정도 아닌 섹스

내가 구르미와 침팬지에게 느끼는 감정은 그들의 세계에도 존재할까? 존재한다면 어떤 식으로 표현되는 걸까? 동물을 연구하는 학자들은 비인간동물을 의인화하거나 수치화할 수 없는 단어로 행동을 정의하는 것을 금기시했기 때문에 영장류에서 우정과 사랑에 관한 연구는 사회적 유대감(social bond)이라는 보다 중립적인 틀에서 혈연관계와 그렇지 않은 관계를 구분하며 이루어졌다.

연구자들은 주로 서로 다른 개체가 얼마나 오랜 시간을 함께하는지, 상대에게 털 고르기를 얼마나 자주 해 주는지, 무리 내에서 싸움이 있을 때 어떤 동료와 연대하는지를 살핀다. 가까운 동료의 존재가 영장류의 자손 수, 건강 상태, 수명 등에 어떤 영향을 주는지 알기 위해서다. 연구 결과는 대체로 사람과 비슷하다. 친구(털 고르기를 해 주는 동료)가 많은 개체일수록 스트레스를 적게 받고 자손의 수가 많으며 오래 산다. 사회적 유대감이 단단한 동료가 많으면 위험에 처했을 때 도움을 받을 확률이 높은 데다, 털을 골라 주는 것과 같은 유대 행동 자체가 개체의 면역 체계를 강화하는 효과가 있기 때문이다.

침팬지와 보노보처럼 복잡한 무리를 이루고 사는 영장류에게 유대를 맺는 것은 특히 더 중요하다. 여기서 침팬지와 보노보의 차이가 두드러진다. 침팬지는 수컷 중심의 사회로 수컷 간의 연대가 중요하며 무리의 우두머리는 대체로 수컷이다. 반대로 암컷 중심의 사회인 보노보는 무리의 우두머리가 대체로 암컷이며 힘이 센 수컷이 공격하면 암컷끼리 연대해 싸워 이긴다.

암컷 중심인 보노보 사회의 가장 큰 특징은 격렬한 싸움의 빈도나 강도가 침팬지보다 적다는 것이다. 보노보는 무리 내 긴장감이 높아지면 서로의 생식기를 맞대어 비비는 '지지 문지르기(genito-genital rubbing)'라는 행동을 하며 싸움을 막고 긴장감을 낮춘다. 보노보의 문지르기 행동은 음식을 나눠 먹거나 싸움을 한 뒤 화해할 때, 긴장한 동료를 안정시킬 때 등 성별이나 나이와 관계없이 일상 속에서 빈번하게 일어난다. 사랑과 우정을 구분하는 지점을 섹스로 여기는 사람들이 많은데, 이러한 관점에서 아무 경계 없이 수시로 섹스를 하는 보노보들을 보자면 사랑과 우정의 경계는 한층 모호해진다. 또한 이러한 섹스가 암컷 간에 훨씬 자주 일어나기 때문에 보노보가 인간처럼 동성애를 한다고 생각할 수도 있다.

동성애의 생물학적 기원을 설명하는 연구 자료는 매우 많고, 실제 인간을 포함한 동물에서 동성 간 섹스는 많이 관찰된다. 하지만 동성 간 섹스를 하는 동물에게 찾아가 방금 섹스를 한 당신의 파트너가 연인인지 그저 친구일 뿐인지 물어볼 수 없는 노릇이니 사랑과 우정의 명확한 차이에 대한 생물학적 답을 찾기란 어려워 보인다. 엄격히 이야기하면 사랑과 우정은 사람이 만들어 낸 단어에 불과하다. 시공간에 따라 유동적인 개념이며 문화나 개인에 따라서도 차이가 존재한다.

한 가지 분명한 것은 그것이 무엇이든 우리는 타인과의 연대를 추구하고 그러한 연대를 통해 신체적, 심리적 안정을 얻으며 건강하게 살 수 있다는 것이다. 그리고 이는 무리 지어 사는 모든 동물에게 공통으로 해당하는 생물학적 사실이다.

친밀한 관계가 넓어진다면

마지막으로 당신의 건강한 삶을 위해 주변 생물들과 유대를 돈독히 할 팁을 건네고 싶다. 이 팁은 약 40년에 걸친 나의 인생 경험과 영장류에만 관심을 가진 나의 편협한 지식에 기반한 것이나, 내가 좋아하는 주변 친구들은 선천적으로 이러한 성향을 타고난 경우가 많다. 구르미와의 일화에서 얼핏 알 수 있듯 나는 타인 혹은 타견의 의사소통 신호를 취사선택해 임의로 해석하는 데 특화된 사람이다. 여러 신호 중에서도 내가 주로 사용하고 중요시하는 신호를 더 크게 보고, 상대방과 대화할 때는 그의 상태나 감정에 관심을 두기보다 그가 하는 이야기 속에서 사실관계나 인과관계의 정보를 추출한 뒤 문제점을 파악하여 굳이 원하지 않는 해결

책을 제시하려는 습성이 있다. 또래의 동성 친구들보다 공감 능력이 떨어진다고 보는 것이 타당하다.

20대 때만 하더라도 이런 성향은 큰 문제가 되지 않았다. 하지만 조금씩 나이를 먹어가고 다수의 가벼운 친구보다 소수의 끈끈한 친구의 소중함을 느낄수록, 아끼고 사랑하는 사람이 생길수록 내가 아끼는 사람들의 말, 표정, 몸짓 하나하나가 의미 있게 다가오기 시작했다. 나와 정반대 성향으로 공감 능력을 타고난 친구들은 매 순간 내가 얼마나 무심한 사람인지를 일깨워 주며 이러한 변화에 특히 기여했다. 나는 그 친구들에게 상처 주지 않고 사랑받기 위해 친구의 이야기를 귀담아듣는 연습을 시작했다. 친구의 상황과 비슷했던 나의 경험을 떠올리고 친구와 나누는 이야기, 감정의 순간을 낱낱이 저장하며 친구에게 공감하기 시작했다.

요즘 유행하는 MBTI에 따르면 나와 반년 넘게 동거 중인 INFP 친구는 나와 궁합이 최악이라고 한다. 수년에 걸친 연습 덕분일까? 나는 현재 최악의 궁합인 친구 그리고 친구를 닮아 아마도 최악의 궁합일 개와 큰 무리 없이 동거하고, 사업하고, 새로운 추억을 함께 만들며 행복하게 살고 있다. 이 연습이 나에게 준 가장 큰 선물은 세상을 보는 다양한 시각이고, 그로 인해 내 세상 또한 전에 없이 풍부해졌다는 것이다. 곁에 있는 생명체와의 관계를 섣불리 정의하기보다 당신에게 의미 있는 그의 신호에 더 관심을 가지며 당신의 세상이 풍부해지기를 바란다.

비둘기와
뒤얽히는 영혁

김지은

김지은 경희대 글로벌커뮤니케이션학부를 졸업하고 같은 대학원에서 박사과정을 수료했다. 여성과 자연, SF에 관심을 갖고 활동 중이며 신유물론과의 접점을 탐구 중이다.『식물의 사유』,『악어의 눈』,『영화와 문화냉전』,『일본군 위안부』(출간 예정)를 옮겼고,『도래할 유토피아들』,『우리는 어떻게 사랑에 빠지는가』 등을 함께 썼다.

[주요어] #자연 #동물 #영역

[분류] 철학 > 신유물론 > 에코페미니즘

“경미한 해가 아니라 생명을
앗아갈 정도로 플럼우드를
공격한 바다악어는 과연
‘다른 세계 만들기’에 참여할 수 있을까?
만약 가능하다면 이들의 존재와 참여는
과연 환영받을 수 있을까?”

이른 아침 태양을 째려보며 잠에 감긴 눈꺼풀을 들어 올리면, 종종 눈앞에는 예상하지 못한 존재가 앉아 있다. 비둘기다. '닭둘기'라는 별칭을 가진 비둘기 한 마리가 베란다 난간에 앉은 채, 침대 위의 나를 바라보고 있다. 푸른빛이 도는 고개를 주억거리며 나를 똑바로 쳐다보는 비둘기의 시선은 잠에서 아직 헤어 나오지 못한 나의 어리둥절한 시선과 기묘하게 교차한다. 집 안에서도 가장 내밀한 침실에 아무런 예고와 허락 없이 불쑥 등장한 낯선 존재의 시선은 당혹스럽다. 그런데 비둘기와 주고받는 시선 속 더 크게 당황하고 허둥지둥하는 존재는 어째서 나일까? 비둘기는 나에게서, 그리고 나는 비둘기에게서 무엇을 보고 있는 것일까?

프랑스 철학자 자크 데리다(Jacques Derrida)는 어느 날 샤워를 하고 나체로 욕실을 나온 후, 자신을 무심하게 바라보는 검은 고양이의 시선에 돌연 부끄러움을 느낀다. 언제나 발가벗고 있기 때문에 역설적으로 늘 발가벗고 있지 않은 암컷 고양이 앞에 인간 남성이 전라의 상태로 서서 고양이의 눈길을 온몸에 받는 상황은 무어라고 형용할 수 없는 거북함을 자아낸다. 데리다는 이 곤란한 만남을 동물적 만남이라고 명명하고, 그 만남 속에서 '나는 누구인가'라는 철학적 질문을 도출한다.[1]

구약성경의 창세기부터 데카르트와 그의 '후예들'[2]에 이르기까지 동물에 대한 인간의 확고하고 월

[1] 자크 데리다, 최성희·문성원 옮김, 「동물, 그러니까 나인 동물(계속)」, 《문화과학》 76(2013), 299~378쪽.

[2] 철학자 김은주는 고양이의 응시에서 '나'라는 인간 존재에 대한 철학적 질문을 이끌어내는 데리다의 문제의식이 데카르트의 동물기계론이 내포한 오류를 겨냥한다고 설명한다. 나아가 이 잘못된 전제를 따르는 데카르트의 '후예들'에 이름을 올린 철학자로 동물의 자기 지시 능력을 부정하는 칸트, 동물에게 '얼굴'이 없다고 단정하는 레비나스, 동물은 상징계에 접근하지 못한다고 말하는 라캉, 동물의 존재 양상을 인간의

등한 우월성을 담보한 인간중심주의는 이제껏 인간과 비인간, 주인과 노예, 주체와 대상, 봄과 보여짐, 능동과 수동을 명확히 구분해 왔다. 정확히 말하자면, 말끔히 구분하려 애써 왔다. 그러나 확고한 것처럼 보였던 인간-동물 영역의 경계는 데리다와 고양이가 주고받는 시선 속에서 흐려진다.[3] 고양이는 데리다가 자신의 발가벗음을 스스로 온전히 인식하기도 전에 그의 발가벗음을, 그의 보여짐을, 나아가 그의 수동성과 수치심을 전면에서 사유하게 만드는 '절대적 타자'의 관점을 갖고 있기 때문이다.[4] 그러므로 데리다가 상황을 통제하기도 전에 고양이 앞에 '내어지는' 비자발적인 시각적이고 정동적인 노출은 인간과 동물의 시선 교차가 배타적 비교 우위에 따라 진행되는 것이 아니라, 동시에 진행된다는 점을 가차 없이 입증한다. 인간

'세계-내-존재'와 다른 '세계 빈곤'으로 규정하는 하이데거를 꼽는다. 김은주, 「고양이 앞에 선 철학자」, 《한편》 4호 '동물'(민음사, 2021), 87쪽.

[3] 20세기 후반 이후 동물에 대한 철학적 사유를 주도해 온 데리다, 질 들뢰즈, 도나 해러웨이, 조르조 아감벤 등은 데카르트의 '후예들'과는 달리, 동물을 보다 입체적으로 파악하려고 시도한다. 이들이 취하는 관점은 조금씩 상이하지만 최근 신유물론 및 다종민족지학과 맞물려 인간-동물의 관계 맺기라는 큰 틀 속에서 활발히 논의되고 있다.

[4] 자크 데리다, 앞의 글, 316쪽.

이 동물을 보는 것처럼 동물 역시 인간을 본다. 본다는 것은 보는 행위를 넘어선다. 고양이의 흔들리는 눈동자가 담은 것은 한 남성 인간의 나체뿐만 아니라 견고한 인간중심주의에 일어난 균열을 포착한 인간이다.

한편 간간이 찾아오는 야생 비둘기는 내게 영역에 대한 문제를 고민하게 만든다. 비둘기의 시선이 나만의 안락한 영역을 침범한다고 했지만, 엄밀히 따지면 침입자는 비둘기가 아니다. 비둘기는 자기 서식지에 대한 애착이 매우 두텁고 귀소본능이 강한 영역 동물이다. 비둘기의 평균 수명이 무려 5년에서 20년까지도 이른다는 점을 고려한다면, 고작 2년 전부터 수원시 장안구의 어느 구축 아파트에 세 들어 살고 있는 내 쪽이 입주 후배다. 아파트 복도 난간 곳곳이 비둘기 배설물 때문에 부식된 것으로 미루어 볼 때, 그들은 꽤 오래 전부터 이곳에 터를 잡고 살았을 것이다. 더욱이 나는 혼자 사는 반면 이곳의 비둘기는 무리 지어 산다. 조금만 주의를 기울이면 오른쪽 다리가 없는 흰 비둘기는 검은 반점이 멋진 다른 흰 비둘기, 그리고 왼쪽 눈 아래가 찢긴 검은 비둘기와 같이 자주 나타난다는 사실을 알 수 있다. 나는 쪽 수에서도 밀린다!

평균 연령층이 꽤 높은 이 아파트 주민들은 구태여 비둘기를 내쫓지 않으며 먹이를 주는 모습도 심심찮게 발견할 수 있다. 나름대로 인간과 비둘기가 함께 머무는 공존의 장으로 보인다. 단지 내 철장이 쳐져 인간의 출입이 불가능한 삼각형의 작은 공터 안에는 빛바랜 노란색 어린이 시소가 하나 있는데, 시소를 차지하는 건 인간 아이가 아니라 몸집이 작은 어린 비둘기 무리다. 비둘기는 나의 영역, 곧 인간의 영역으로 자신했던 아파트와 도시환경의 경계를 교란시켰다. 나라는 한 인간은 수원이라는 도시에서 비둘기와 어떤 방식으로 얽혀들게 된 것일까?

퇴치하거나 환대하거나

사실 비둘기는 법으로 정한 유해야생동물이다. 「야생생물 보호 및 관리에 관한 법률」 제2조에 따르면 유해야생동물이란 사람의 생명이나 재산에 피해를 주는 야생동물로 환경부령이 정하는 종을 일컫는다. 환경부는 2009년 도심에 거주하는 집비둘기의 개체 수 급증, 악취 및 배설물, 소음 문제를 이유로 집비둘기를 유해야생동물로 지정했다.[5] 그런데 불과 40년 전만 하더라도 비둘기는 평화를 상징하고 번영을 기원하는 동물로 환영받았다. 1986년 아시안 게임, 1988년 서울 올림픽, 역대 대통령 취임식(1956~2008년)의 피날레는 하늘로 훨훨 날아가는 비둘기 무리가 만드는 장관이었다. 한때 국가 행사에 동원되기 위해 대량 수입·사육·포획·훈련된 비둘기는 환대와 환호를 받는 유익한 동물이었다. 그 사용가치가 소진되자 이들을 향한 시선은 혐오와 멸시로 바뀌었고 곧 퇴치의 대상이 되었다. 물론 비둘기의 강제 동원과 도시 잔류 사연에 지나치게 감정이입할 필요도 없지만, 이 사례는 유익한 동물에서 유해한 동물로의 전락 과정이 지극히 인간 편의와 이익에 따른 것임을 여실히 드러낸다.

수원은 매해 겨울 수천 마리의 떼까마귀가 찾아오는 곳이기도 하다. 겨울철 대표 철새인 떼까마귀는 시베리아 지역에서 서식하다가 겨울에 추위를 피해 잠시 남하하고 봄에 본래 서식지로 돌아가는 습성이 있는

[5] 집비둘기 외에도 까마귀, 떼까마귀, 참새, 까치, 청설모, 고라니, 민물가마우지 등이 인간 생활에 피해를 주는 유해동물 목록에 올라와 있다. 이 글에서 비둘기는 대체로 집비둘기를 지칭한다.

데, 2016년부터 수원이 떼까마귀의 겨울철 임시 체류지로 선택되면서 인간과 새 사이 갈등이 불거졌다. 수십에서 수백 마리 떼까마귀가 빼곡히 앉는 바람에 전신주의 전선이 짓눌려 종종 정전이 일어나고, 배설물로 도로 곳곳이 더러워지며, 시민들은 으스스한 분위기에 공포감을 호소한다. 야생동물이 인간의 활동지인 도심 한복판으로 무리 지어 침입한 것이다! 이에 수원시는 전담 모니터링반과 퇴치기동반을 창설하여 유해 야생동물 떼까마귀와의 일방적인 전쟁을 선포했다. 기동반은 레이저 퇴치기와 소음 발생기 사용도 서슴지 않는다.

이 환영받지 못한 방문은 신도시 개발로 인한 서식지 감소 문제와 직결되어 있다. 2003년부터 추진한 제2기 신도시 건설 계획으로 인해 김포시 녹지 면적이 급감했고, 그 지속적 여파로 떼까마귀는 수원시로 몰리게 되었다.[6] 인간의 안락한 거주 공간을 확장하려

[6] 국내 까마귀의 서식밀도 변화 추이에 대해서는 국립생물자원관이 매년 발행하는 「야생동물 실태조사」(2015년, 2017~2021년), 도심 출현(수원, 평택 등) 떼까마귀 서식 현황에 대해서는 생물자원연구부 동물자원과가 매년 발행하는 「서식환경별 조류 개체군 특성 연구」(2018~2020년), 떼까마귀 선호 서식처 조건에 대해서는 환경부 주관

는 계획이 떼까마귀의 삼림 서식지를 축소했고, 대체 서식지를 찾지 못한 이들이 도심까지 온 것이다. 떼까마귀의 '귀환'이 두드러지는 지역은 비단 수원만이 아니다. 화성·평택·오산을 비롯한 경기 남부는 매년 약 2~4만 마리, 전북 김제는 약 7만 마리, 울산은 약 7~10만 마리의 떼까마귀가 찾는 단골 명소가 되었다.[7]

흥미로운 건 지자체별 대응이 완전히 다르다는 점이다. 수원시 퇴치기동반은 레이저 퇴치기와 소음 발생기로 떼까마귀를 쫓아냈으며, 제주시는 농작물 피해를 이유로 작년에만 약 250마리의 떼까마귀를 포획해 소각해 버렸고 더 나아가 올해에는 대리포획단 약 스무 명을 공개 모집하며 전면전을 선포했다. 반면 울산시는 태화강을 찾아온 떼까마귀가 생태환경 개선의 신호탄이라고 반기며 이들의 방문을 중장기 관광자원으로 활용하겠다고 밝혔다. 실제로 올해 말에는 떼까마

보고서 「도시생태계 현안대응을 위한 다중기반 그린인프라 기술 개발」(2022) 등을 참조할 수 있다. 이외에도 국내 조류 전문가들은 언론사 인터뷰 등에서 수원의 떼까마귀 출몰 현상의 원인 중 하나로 도시개발로 인한 서식지 감소를 지적한 바 있다.

[7] 「위기의 도심동물들: 제주는 잡아 태웠고 울산은 관광자원으로…… 전깃줄 떼까마귀 어찌할꼬」, 《한국일보》, 2023년 9월 7일.

귀 군무해설장까지 운영하겠다고 공표해, 인간 곁으로 돌아온 새를 환영할 준비를 마친 듯하다. 이 모든 거부와 환대의 기준은 전적으로 인간이 가늠한다.

자연의 곰은 사람을 찢어

데리다를 바라보는 고양이, 나의 집을 방문한 비둘기, 도심 곳곳을 누비는 떼까마귀는 인간과 동물의 활동이 혼재되어 있다는 사실을 예증한다. 특정 순간에 어떤 사건을 통해 불현듯 깨닫게 된 인간과 동물의 영역 교란이 낯설고 어렵게 느껴지는 것은 당연하다. 이는 일정 부분 도시에서 생활하는 인간이 동물과 맺는 관계가 매우 제한적이고 평면적인 탓이기도 하다. 일반적으로 인간이 도시에서 마주하는 동물은 크게 세 종류다. 인간과의 친밀한 관계 맺기에 훈련을 마친 반려동물, 기껏해야 인간의 삶에 경제적·심미적 '해'를 미치는데 그치는 야생(유해)동물, 그리고 동물원의 동물이다. 축산 농가 시설은 대개 교외에 위치하기에 도시에서 가축의 존재는 거의 보이지 않고, 더욱이 인간에게 치명적인 상해를 가하는 포식동물을 마주치는 일이란 도시뿐 아니라 한국 전역에서 매우 드문 특종에 가깝다.

나는 코로나를 기점으로 인간과 동물·야생·자연의 얽히고설킨 관계를 풀어내는 이론적 틀로 에코페미니즘과 신유물론에 더욱 관심을 갖게 되었다. 자연을 전용하며 마음껏 소진해 온 인간중심주의를 비판하는 에코페미니즘과, 비인간 존재의 행위성과 능동성을 새로운 방식으로 긍정하는 신유물론이 실마리를 제공하리라 기대했다. 관련 이론가들의 글을 읽으며 어느 정도 기대했던 목표는 달성했다. 그러나 이른 아침 내 침실 밖 창문의 비둘기와 우연히 눈 마주쳤던 것처럼, 그 과정에서 당황스러움을 느꼈다. 자연은 근대 기계론이 주장한 수동적인 빈 서판이 아닌 역동적이고 풍요로운 공간이되, 그 풍요로움은 인간 존재의 역량과 예측과 범위를 훨씬 초과한다는 당연한 사실을 현실적으로 어떻게 받아들이는가의 딜레마였다.

도시라는 한정된 공간과 경험에서 한발 물러나 보면, 인간과 동물의 관계는 더욱 예측 불가능한 역동적 상황에 놓인다. 어느 예능 프로그램에서 북극곰 보호소 방문을 앞둔 유명 개그맨이 "북극곰은 사람을 찢어!”[8]라고 외친 말은 한국 시청자들에게 유쾌한 웃음을 유발했다. 그러나 실제 야생 북극곰을 마주칠 가능성이 있는 공간이라면 이 발언은 그저 웃음을 위한 표현으로 치부할 수 없게 된다.

비슷한 맥락에서 호주 페미니스트 생태철학자 발 플럼우드가 들려주는 먹이 이야기는 ‘풍요롭고 호의적인 자연’이라는 안일한 환영이 어쩌면 도시인이 덧씌운 ‘낭만화된 자연’에 불과하다는 점을 인정하는 데 도움을 준다. 그녀는 1985년 2월 호주 카카두 국립공원에서 홀로 카약을 타던 중 바다악어에게 허벅지를 물린 채 물속으로 끌려 들어가는 ‘죽음의 소용돌이’를 세 번이나 겪는다. 악어의 공격으로부터 기적적으로 생존한 플럼우드는 만물의 주인으로 군림해 온 인간이 먹이로 전락한 사건 속에서 일종의 환영을 발견한다.

> 악어와의 조우로 드러난 환영은 (……) 꽤나 단순하고 기본인 것들을 완전히, 그리고 체계적으로 잘못 알고 있을 수 있고, 어쩌면 잘못 알고 있다는 사실

[8] MBC, 「무한도전」 483회, 2016년 6월 11일 방영분.

자체를 인지하고 있지 않을 수 있다는 점을 드러냈다.[9]

인간이 자연에 덧씌운 환영은 인간이 포식관계에서 언제나 '승리의 편'에 위치한다는 오만을 만들었다. 악어의 황금빛 눈을 통해 들어간 생태적 평행우주에서 그녀는 악어가 인간중심주의적 자연관의 환영을 찢음으로써 그 오만함을 심판하도록 돕는 트릭스터(trickster)라고 이해한다. 플럼우드가 공격당한 곳은 악어 개체 수 증가를 위해 국가 차원에서 수년간 보존 운동을 벌인 영역이었다.

플럼우드의 먹이 이야기는 '인간을 향한 지구의 대대적 반격!' 같은 식이 아니다. 다만 인간중심주의를 비판하면서도 여전히 품고 있던 얄궂은 희망과 이중적 믿음을 지적하는 것이다. 즉 '살아 있는' 자연의 풍부한 회복력, 성장력과 관계망은 인간, 특히 도시인에게 적대적이지는 않은 방식이리라는 선부른 기대를 경계하라는 것이다. 그렇다고 '오롯이 자연의 입장에서

[9] 발 플럼우드, 김지은 옮김, 『악어의 눈: 포식자에서 먹이로의 전락』(yeondoo, 2023), 38~39쪽.

생각하라!'라고 주장하는 것도 아니다. 인간이기에 인간이라는 한계와 활동 반경 내에서 사유하고 행동한다는 점을 인정하되, 그와 동시에 비인간 존재 및 자연과 맺는 예측 불가능한 얽힌 관계의 패턴을 어떻게 삶 속에서 받아들이고 행동하는가의 문제다. 이러한 윤리적이고 실천적인 문제에서 도시라는 환경은 결코 부차적 고려 요소가 아니다.

비인간 존재는 참여할 수 있을까?

인식, 수용, 실천은 함께 간다. 미국 페미니스트 생물학자인 도나 해러웨이는 데리다가 암컷 고양이의 응시를 인식했을 뿐, 실천으로 나아가지는 못했다고 비판한다. 데리다는 고양이가 인간으로부터 독립적인 자기만의 관점을 가졌다는 점을 깨닫지만, 그 깨달음은 고양이에 대한 호기심으로 나아가지 못하고 철학의 또 다른 소재거리로 전용된다. 다시 말해 "호기심을 갖지 않아서 그〔데리다〕는 다른 세계-만들기로 유혹되고 잠입할 기회를 놓쳐버렸던 것이다."[10] 인식과 실천의 간극을 메우기 위해, 해러웨이는 응답(response)의 책무를 다하는 반려종(companion species) 개념을 제시한다. '빵을 나누다'는 라틴어 '쿰 파니스'(cum panis)에서 따온 반려 개념을 완성하는 것은 다름 아닌 타자의 부름에 적극적으로 응답할 수 있는 능력(response-ability)으로서의 책임(responsibility)이기 때문이다.[10]

그런데 지금과는 질적으로 '다른 세계 만들기'로 나아가는 인식-수용-실천 과정에 참여하도록 허락되는 존재와 허락되지 않는 존재의 경계는 어디인가? 해러웨이가 주목하는 주된 플레이어는 인간과 반려 관계를 맺고 있는 동물인 반려종이다.[11] 그녀의 반려 개념은 인간의 일방적인 명령과 돌봄에 기초한 주인-애완의 관계가 아니라, 이를테면 인간 파트너와 동물 파트너가 서로를 훈련시켜 함께 관계를 만들어 나가는 공산(sympoiesis)의 관계에 기초한다. 이 지점에서 해러웨

[10] 도나 해러웨이, 최유미 옮김, 『종과 종이 만날 때: 복수종들의 정치』(갈무리, 2022), 34쪽.

[11] 위의 책, 28쪽. 해러웨이의 반려종 개념은 인간에게 한정되었던 권력의 위계를 무너트리고 이질적 파트너들과의 '촉수-되기', '함께-되기' 등을 적극적으로 제시한다. 이로부터 확장되고 보완된 그녀의 사유가 신유물론을 비롯한 이론적 지형 내에서 매우 중추적인 역할을 하고 있다는 점은 국내외 연구동향에서도 다양하게 파악할 수 있다.

이가 릴레이식으로 주고받는 관계 맺기 과정에서 생기는 권력의 비대칭성을 인정한다는 점은 중요하다.

개나 고양이처럼 인간에게 친숙하고 사랑받는 동물이 아니라면, 예컨대 유해야생동물로 지정된 비둘기와 떼까마귀는 과연 어떻게 되는 것일까? 해러웨이는 도시 비둘기의 몸에 장비를 장착해 캘리포니아 남부의 공기 오염 데이터를 수집하는 '비둘기 블로그(Pigeon Blog)' 프로젝트에서 비둘기-예술가-연구자-엔지니어의 상호 훈련법, 나아가 상호 '감염'과 함께 잘 지내는 복수종 번영 방안을 발견한다.[12] 그러나 도시 비둘기와의 협업에는 늘 제약이 따른다. 동물과의 얽힘이 인간에게 유익한 '협업'으로 분류되는 기준과 마땅한 '소각 및 처리'로 분류되는 기준은 인간에게 맞춰져 있다. 또한 경미한 해가 아니라 생명을 앗아가기 직전까지 플럼우드를 공격한 바다악어는 과연 '다른 세계 만들기'에 참여할 수 있을까? 만약 가능하다면 이들의 존재와 참여는 과연 환영받을 수 있을까?

나는 나보다 먼저 수원시 장안구의 모 동이라는

[12] 도나 해러웨이, 최유미 옮김, 『트러블과 함께하기: 자식이 아니라 친척을 만들자』(마농지, 2021), 34~50쪽.

도시의 한 자리에서 살기 시작한 비둘기 무리와 매일 시선을 주고받고, 이들을 은밀히 기다리며, 그 모습을 사적으로 기록한다. 나와 비둘기가 나누는 영역 교란과 얽힘의 순간, 그리고 어쩌면 내가 비둘기에게 일방적으로 부여하는 것일 수도 있는 이 관계를 '우정'이라고 칭할 수 있을까? 인간적인 방식의 우정과 환대는 아닐지언정, 신유물론과 에코페미니즘의 필연적 만남을 기대하며 연구하는 내게 도시 비둘기는 다른 세계의 가능성을 보여 주는 존재다. 어쩌면 비둘기는 이 도시의 주인이 인간만이 아님을 날갯짓과 울음 그리고 배설물로 알리는 안내자일 수도 있다. 이 안내의 몸짓이 소음으로 치부될지 말지는 아직 결정되지 않았다. 적어도 도시에서 꾸려 나가는 나의 삶에 동물이 다양하게 얽히길 소박하게 바란다.

일본인이 되는 문제

김경채

김경채　　일본 도쿄대에서 표상문화론을 전공했고 해방 이후 한국의 '동양'론을 다룬 연구로 석사학위를 받았다. 박사과정 수료 후 일본 게이오대 외국어교육연구센터에서 한국어·문학·문화를 가르치면서 식민지시기 조선 문학을 '주체의 탈구축'이라는 관점에서 다시 읽는 논문을 쓰고 있다.

[주요어] #국가의경계 #친일 #포스트콜로니얼리즘

[분류] 국어국문학 > 식민지문학

“마음이 개인과 국가의 관계를
근본적인 차원에서
묻기 위한 출발점이라면
누군가의 마음이 진심이냐 아니냐는
더 이상 문제 되지 않는다.”

파트너와 나는 일본의 한 대학원에서 만나 4년을 연애한 뒤 2018년에 결혼했다. 파트너는 만나면 만날수록 참 좋은 사람이었고 긴 타지 생활을 홀로 감당하는 것에 지쳐 있던 나는 자연스럽게 결혼을 고려하게 되었다. 무엇보다 2018년이라는 시점은 우리 관계를 연인이 아닌 혼인 관계로 바꾸는 결단을 내리는 데 매우 중요했다. 나의 비자, 그러니까 내가 일본에 체류할 수 있는 자격이 곧 만기될 상황이었기 때문이다.

그때 나는 유학생 비자로 일본에 머물고 있던 외국인 박사 과정생이었다. 3년간의 정규 과정을 마치고 한국에 돌아가 박사 논문을 마무리 지을지 아니면 어떻게든 방법을 찾아 일본에 남을지를 결정해야 하는 때였다. 5년이 지난 지금 나는 여전히 일본에 있으니 결국 한국에 돌아가지 않겠다고 선택한 셈이다. 결혼은 그 선택을 실현하기 위해 통과해야 할 첫 관문이었다.

일본인의 배우자 비자를 발급받으려면 "부부 사이의 교류를 확인할 수 있는 자료"를 제출해야 한다. 쉽게 말해 나와 파트너와의 관계가 금전적 대가 없이 묶인 '진짜' 관계라는 것을 증명하는 서류다. 파트너는 철학을, 나는 문학을 전공했으니 진짜보다 더 진짜 같은 이야기를 만들기는 그리 어렵지 않았다. 우리는 서류가 반려되어 이 고단한 과정을 두 번 겪지 않도록 만남부터 결혼까지의 과정을 풍부하고 개연성 있는 내러티브와 리얼한 묘사로 녹여 냈다. 그 덕에 지금 나는 일본인의 배우자 자격으로 도쿄에 체류 중이지만 당시의 경험은 내게 작지 않은 내상을 남겼다. 우리의 진짜 관계 즉 '마음'을 증명하라는, 기준이 모호하고 불가능에 가까운 요구에 열과 성을 다했던 과정이 때로는 굴욕적이었고 때로는 수치스러웠던 탓이다.

국제결혼에 국한하지 않더라도 국경을 넘어 더 나은 권리를 얻으려는 시도에는 수치화할 수 있는 조건 이상의 마음, 다시 말해 '진심'이 요구되는 상황이 종종 벌어진다. 예컨대 다른 나라의 국적을 취득하기 위한 귀화 절차의 마지막 단계는 대개 면접을 통해 해당 국가의 국민으로서 가져야 할 마음가짐을 증명하는 식이다. 면접 대상자의 진심을 판단하는 기준은 무엇일까? 마음에 대한 판단은 그 기준의 모호성 때문에 판단하는 이의 권력상 우위에 크게 좌우되는 한편, 사회적 타자가 권리상의 한계를 넘어 체제의 내부로 들어갈 수 있는 기회로도 작용한다. 일본이라는 국가가 서류상에 재현된 나와 파트너의 관계가 진짜인지 아닌지를 임의로 가늠해 결과에 따라서는 나를 강제로 출국시킬 수 있는 권능을 가졌다면, 나는 바로 그 진짜보다 진짜 같은 내러티브를 통해 다시는 증명을 요구받지 않을 권리 곧 영주권에 한발 다가설 수 있다.

마음 읽기의 불가능성

한국문학 연구자로서 국가에 의해 구획된 권리의 경계에 직면할 때면 지금껏 문장으로 만나 온 식민지 조선인의 경험이 보다 친밀하게 다가온다. 식민지 말기의 조선인, 그중에서도 지식인에게는 마음을 증명하는 문제가 첨예하게 불거졌다. 제국 일본의 식민지 정책은 1937년 중일전쟁을 기점으로 조선인을 일본인화하는 방향으로 급전환된다. 제국이 동화 정책을 펼치며 일본 본토와 식민지를 총동원 체제로 정비하기 시작한 이때부터 조선 지식인의 '친일 행위'도 본격화되었다. 한국 근대문학 연구는 창씨 개명과 일본어 창작, 전쟁 협력으로 얼룩진 이 시기를 암흑기로 규정하고 긴 시간 봉인해 왔다.

이광수와 최남선 같은 문학계의 거두는 물론 학계와 언론의 최전선에서 활동했던 조선의 지식인 대부분이 친일 혐의에서 자유롭지 못했다. 그중에서도 경성제대 법문학부를 졸업한 뒤 영문학 연구에 투신한 최재서는 1930년대 중반 이후 조선 지식계의 변화를 명징하게 보여 주는 인물이다. 주지주의 문학론에 입각해 지성의 힘으로 지식계의 폐색 상태를 극복하려 했던 그는 1939년경부터 전쟁 협력의 색채가 짙은 문장을 다수 발표하기 시작한다. 특히 1941년 문예지《국민문학》(이때의 국민은 '일본 국민'이다.)을 창간해 국책에 적극 협력한 사실은 식민지 지성의 파탄을 상징하는 사건으로 읽히곤 했다.

이러한 친일 문인들에 대한 다시 읽기가 본격적으로 이루어진 배경에는 2000년대 이후 부상한 민족주의 비판과 탈식민주의 담론이 있다. 친일 대 반일, 제국 대 식민지와 같은 이항 대립 구도에서 한발 물러나 식민지의 저항 민족주의에 내재된 폭력성을 적극적으로 논의하기 시작하면서 암흑기에 쓰인 서사들의 다층성과 복잡성이 조명되었다.[1] 친일을 단순히 탄압에의 굴복으로 이해하거나 민족에 대한 반역으로 매도하고 논의의 대상에서 배제하는 것이 아니라 개인이 국가와 민족 및 사회와 맺는 관계 속에서 친일이 추동된 계기를 재인식하려는 시도가 본격화된 것이다.

그런데 암흑기 다시 읽기는 종종 또 다른 폐쇄적인 질문으로 되돌아갔다. 거칠게 정리하자면 그 질문은 다음과 같다. 문학자들의 친일 행위는 진심이었나? 그러한 진심에 민족을 위해 투쟁하려는 숨은 의도나 무의식은 없었을까? 친일 행위 즉 제국주의 체제 협력

[1] 이 과정에서 식민지와 제국의 '적대적 공범 관계'나 친일/반일 구도로 포착될 수 없는 '회색 지대'로서의 식민지 공공성이 주요한 관점으로 부상하기도 했다. 이성시·임지현, 『국사의 신화를 넘어서』(휴머니스트, 2004), 24~33쪽; 윤해동, 『식민지의 회색지대』(역사비평사, 2003), 23~52쪽 참조.

에 내재한 복잡 다양한 계기를 복원하려는 학술적 시도에는 협력의 서사에서 지식인의 마음을 읽어 내려는 욕망이 감춰져 있기도 하다. 민족주의 비판에서 시작된 친일 연구가 역설적으로 민족주의를 강화하는 결과로 이어지기 쉬운 이유도 여기에 있다. 황호덕이 지적했듯 친일의 복잡성과 모호성에 대한 논의가 일본 학계에서 "제국은 정/부당으로 평가하기 어렵다."라는 우익적인 역사 수정주의로 번안된 사정[2]까지 염두에 두면, 진짜로도 가짜로도 보이는 식민지 말기의 서사는 읽는 이의 의도에 끌려가며 조선(한국)의 민족주의와 일본의 제국주의라는 이항 대립 속에서 여전히 공회전하고 있다.

한국과 일본 어느 한쪽의 내셔널리즘에 빠지지 않고 개인과 국가의 관계 속에서 식민지 문학을 이해하려면 헤아릴 수 없는 마음의 진정성을 임의 판단하기보다는 마음의 증명이 어떠한 맥락에서 요구되고 또한 어떠한 효과를 가지는지 들여다보아야 한다. 내가 일

[2] 황호덕, 「탈식민주의인가, 후기식민주의인가: 김남주, 그리고 한국의 포스트콜로니얼리즘 연구 20년에 대한 단상」, 《상허학보》 제51호(2017), 324~326쪽.

본에 체류할 권리를 획득한 과정에서 드러나듯 일견 합리적이고 자명해 보이는 국가, 법, 제도는 실은 마음과 같은 비합리적이고 결정 불가능한 영역에 의해 지탱된다. 국가는 개인의 마음을 임의로 판단해 주권 권력을 정립·유지하고, 개인은 마음을 증명해 권리를 획득한다. 마음의 영역은 권력과 권리가 길항하며 관계 맺는 장인 것이다. 마음이 표면적인 의도의 배후에 감춰진 것이 아니라 개인과 국가의 관계를 근본적인 차원에서 묻기 위한 출발점이라면 국가에 대한 누군가의 마음이 진심이냐 아니냐는 더 이상 문제 되지 않는다. 중요한 것은 마음의 영역이 노출시키는 권력과 권리의 임계다.

최채서의 '일본인 되기'

일본에서 내가 점한 위치는 '대한민국 국적을 가졌으나 일본인과의 결혼으로 혼인 관계가 유지되는 한에서 일본 체류를 잠정적으로 인정받은 외국인 노동자' 정도일 것이다. 총동원 체제에 따라 황국의 일원이 된 식민지 조선인의 사정은 이보다 훨씬 복잡했다. 일례로 식민지 조선인은 일본 국적자이면서도 국적이탈권(일본 국적을 포기할 수 있는 권리)을 행사할 수 있는 국적법의 적용 대상이 아니었다. 내선일체(内鮮一体)가 식민지인에 대한 처우 개선을 위한 조건으로 폭넓게 수용되고 있었다고는 하나 조선인과 일본인 사이의 법적 권리상 장벽은 여전했다. 조선인에 대한 징병제 실시 계획 역시 1930년대 후반까지 불투명했다.[3] 징병제의 실시가 일본인으로서 명예롭게 죽을 권리를 부여하는 것이나 마찬가지였다면 법적으로 일본인인 조선인에게 일본인으로 죽을 권리는 허락되지 않았다.

소위 암흑기에 발표된 최재서의 '친일적'인 문장에는 일본인이 되는 문제를 두고 처절하게 고민한 흔적이 엿보인다. 1938년까지만 해도 "지식인은 지성을 포기하는 외에 길이 없는가?"[4]라며 최후의 지성을 옹호하려 했던 최재서는 이듬해가 되면 "동양에는 동양으로서의 사태가 있고 동양 민족엔 동양 민족으로서의

[3] 조선인을 병력으로 동원하는 방안은 1937년경부터 논의되었으나 징병제가 실제 실시된 것은 1944년 4월부터다.
[4] 최재서, 「사실(事實)의 세기(世紀)와 지식인(知識人)」, 《조선일보》, 1938년 7월 2일.

사명이 있다. 그것은 동양 신질서의 건설이다."[5]라고 쓴다. 동양의 사명을 짊어진 일본인이 되어 조선의 지식인이 직면한 한계를 넘어서고자 한 것이다. 문제는 일본인 되기가 그리 간단하지 않았다는 데에 있다.

> 이 보잘것없는 평론집은, 내 개인의 입장에서 말하자면 문예의 세계에서 일본 국가의 모습을 발견하기까지의 영혼의 기록이라고 할 수 있다. 나는 어린 시절부터 일본말과, 일본식 방과, 그 예의 바름과, 언제나 발랄한 학문적 호기심과 특히 메이지 문학이 좋았다. 그리고 내가 알게 된 몇몇 내지인과는 아무 거리낌도 없이 사귈 수 있었다. 이렇게 해서 나는 일본을 호흡하고 일본 안에서 자라 왔다. 그러나 이러한 것들을 하나하나 일본이라는 국가와 연결시켜 생각하지는 않았다. 말하자면 그것은 취미의 문제이며 교양의 문제였기 때문이다.
>
> 이렇게 해서 오랫동안 익혀 온 것을 새삼스레 자신으로부터 떼어 내어 의식적으로 일본과 연결시켜 생

[5] 최재서, 「건설(建設)과 문학(文學)」, 《인문평론》 1939년 11월호.

각한다고 하는 것은 나에게 있어서는 충격이었으며, 때로는 낯간지러운 일이기까지 했다. 그러나 금방 그것이 나의 동포가 밟고 넘어서지 않으면 안 될 가시밭길임을 알았다.[6]

일본인이 되는 과정이 "가시밭길"인 까닭은 그것이 "취미"와 "교양"의 차원, 다시 말해 일본을 아는 것만으로 해결될 수 없는 문제이기 때문이다. "영혼의 기록"이라는 표현도 같은 맥락에서 이해할 수 있다. 최재서의 개인적 언술에 가려져 직접 드러나지는 않으나 앞서 언급한 법적 권리의 문제가 일본인 되기의 어려움과 깊이 관련되어 있다는 사실을 추측하기란 어렵지 않다. 법적 권리의 차별과 일본을 머리로 아는 것의 한계 지점에서 고민하던 최재서는 1944년에 이르러 '마음먹기'를 통해 비로소 일본인이 된다.

문제는 늘 간단명료하였다.—너는 일본인이 될 자

[6] 崔載瑞, 『轉換期の朝鮮文學』(人文社, 1943), pp.4~5. 노상래의 번역(최재서, 『전환기의 조선문학』(영남대학교출판부, 2006))을 필자가 다듬은 것이다.

신이 과연 있는가? 이런 질문은 다시 다음과 같은 의문을 불러일으켰다. 일본인이란 무엇인가? 일본인이 되기 위해서는 어찌해야 하는가? 일본인이기 위해서는, 조선인이라는 것을 어떻게 처리해야 하는가? 이들 의문은 이미 지성적인 이해나 이론적인 조작만으로는 어쩔 도리가 없는 마지막 장벽이었다. (……) 여기서 나 자신의 체험을 말해 보겠다. 나는 작년 말 즈음부터 여러모로 자신을 정리하리라고 깊이 마음먹고 그 시작으로 새해 첫날에 창씨를 했다. 그리고 2일 아침에는 이것을 고하기 위해 조선신궁에 참배하였다. 그 앞에 깊이 머리 숙이는 순간 나는 맑은 대기 속으로 빨려 들어가 모든 의문에서 해방된 느낌이었다. ─일본인이란 천황에 사봉하는 국민이다.[7]

논리의 비약으로 점철된 이러한 심경 고백류의 문장은 식민지 말기에 체제 협력으로 돌아선 문인에게 흔히 발견된다. 위의 문장에서 최재서는 요구받지 않

[7] 石田耕造(崔載瑞), 「まつろふ文學」, 《國民文學》 1944年 4月号, p.5. 번역은 필자.

은 마음의 증명을 '미리' 수행해 아직 주어지지 않은 권리를 관념적 차원에서 선취한다. 마음먹기에 따라 일본인이 될 수 있다는 인식은 개인과 국가의 관계에 관한 중요한 두 지점을 시사한다. 첫 번째는 법적 권리와 같은 국가의 합리적인 시스템 내에서는 조선인이라는 경계를 넘기가 불가능에 가깝다는 것, 두 번째는 그러한 이유에서 마음을 달리 먹는다는 비합리적인 실천이 경계 넘기의 유일한 방책이 될 수 있다는 것이다. 식민지와 제국 사이의 경계가 사라지지 않는 한 조선인은 바로 이 마음의 영역에서만 '일본인 되기'를 수행할 수 있다. 반대로 스스로가 일본인임을 한순간도 의심해 본 적 없는 '진짜 일본인들'은 마음의 영역에서 다음과 같은 불편한 질문에 직면해야 할 것이다. 과연 일본인이 되었다고 마음먹은 조선인을 같은 일본인으로 받아들일 수 있는가?

식민지 조선에서 징병제 도입이 계속해서 연기된 사정에는 일본인으로서 전장에 선 식민지 조선인의 총구가 진짜 일본인을 겨눌지도 모른다는 깊은 의심이 자리하고 있었다.[8] 최재서의 문장에서 엿볼 수 있는 마음의 영역은 결정 불가능성으로 말미암아 조선인을 일본인으로 비약시키기도 하고 일본인의 일본인 됨을 동요시키기도 한다. 그리고 진짜 일본인이 직면한 이 곤란, 타자의 마음을 둘러싼 불신은 지금 우리에게도 그다지 이해하기 어려운 감정은 아니다.

진심은 그 무엇이 아니다

나의 자발적인 국제 결혼과 식민지 조선인의 일본인 되기에는 분명한 차이가 있다. 그러나 지인들에게 일본인과의 결혼을 알렸을 때 들었던 '진정한 친일파가 되었다', '이제 일본인이 된 것이냐'라는 마냥 웃을 수만은 없는 농담들과, 그간 '비일본인'으로 살며 실제로 부딪혔던 차별적 상황에서 느낀 곤혹스러움은 나로 하여금 조선인(외지)과 일본인(내지)의 경계에 놓여 있던 식민 말기의 삶을 다시 보게 한다.

식민지라는 극단의 시공간은 마음을 증명하고 판단하는 일이 권력 및 권리의 문제와 깊이 연관되어 있음을 드러낸다. 한국과 일본을 지우고 질문을 이렇게

[8] 최유리, 「일제 말기 징병제 도입의 배경과 그 성격」, 《역사문화연구》 제12집(2000), 391쪽.

바꿔 보자. 우리는 누군가의 마음에 대한 판단을 멈출 수 있을까? 마음을 확신할 수 없는 데서 비롯되는 의심과 불안을 견디고 타자와 관계 맺을 수 있을까? 이것은 결코 아름다운 우정에 대한 이야기가 아니다. 내 생명에의 위협을 감수하고도 언젠가 나에게 총구를 겨눌지도 모르는 타자의 존재를 '나'의 일부로 받아들일 수 있겠느냐는 급진적인 물음이다. 나는 이런 물음들과 마주하는 것이 여전히 강력하게 작동하는 국가 혹은 민족의 구심력에 대항하는 방법이라 믿는다.

나와 파트너가 진심을 담아 작성한 서류는 나처럼 일본인과의 결혼으로 머무를 자격을 획득하려는 지인들의 좋은 참고 자료로 쓰였다. 우리의 이야기는 각자의 편의에 맞춰 조각나고 재구성되어 또 다른 진짜가 되었을 것이다. 최근에는 제출해야 할 자료의 형태가 글이 아닌 부부의 스냅 사진이나 SNS 기록, 통화 기록 등으로 대체되었다 한다. 이미지와 데이터에 담긴 것은 좀 더 진짜에 가까운 마음일까?

그러니까 증명되었다고 하는 그 마음은 실은 아무것도 아니다. 우리는 곧잘 누군가의 진심을 신비화하고 좋은 관계의 동기로 삼는다. 그러나 진심을 구성하는 모든 아름다운 수사들을 걷어 내면 관계의 우위에 서서 의심하는 '나'와 존재할 권리를 요구하는 열위의 '타자'가 남는다. 마음을 증명하는 방법이 다양해질수록 의심은 계속되고 마음을 묻지 않는 관계 맺기는 더욱 소원하다. 마음을 증명하는 일이 불가능하다는 것을 인정할 때, 그 증명과 의심이 권리의 문제라는 것을 이해하고 내 몫의 불안을 감수할 때 우리는 비로소 경계를 넘어 타자와 마주 설 수 있지 않을까.

남북 관계의 굴레에서

이경빈

이경빈　서울대학교에서 「실향민 공동체의 시간과 위기: 이북5도청과 도민조직에 대한 인류학적 연구」로 인류학 석사학위를 받았다. 냉전과 분단, 인류학 이론에 관심을 갖고 있다. 『영미 지니 윤선: 양공주, 민족의 딸, 국가 폭력 피해자를 넘어서』를 함께 쓰고 『인디오의 변덕스러운 혼』을 함께 옮겼다.

[주요어] #교환일기 #친구관계 #남북관계

[분류] 인류학 > 사회인류학

“끝내 부정하면서도
어떤 차원에서는
긍정할 수밖에 없는 누군가.
저 사람만 없으면
완벽한 나일 것 같은 그 존재는
지금의 나를 지탱하고 있다.”

본가 식탁 유리 아래 사진 속 2002년의 나는 붉은악마 나시를 입고 티브이 앞에서 월드컵 경기 응원을 하고 있다. 나는 그 2002년을 생애 세 번째로 힘들었던 해로 기억한다.

여자애들의 초등학교 5학년은 어제의 친구가 오늘의 적이 되고 오늘의 적이 내일의 친구가 되는 삼국지의 한 장면 같았다. 무슨 일이 일어나고 있는지 모르는 남자애들이랑 놀 때 그나마 편안했다. 가장 무서워했던 ○○이와 친근하면서도 강했던 □□이가 한 진영이 되는 시기는 특히 힘들었다. 점심시간에 집에 걸어가 식탁 의자에 앉아 울다가 5교시가 시작하기 전 학교에 다시 가는 날도 있었다. 그러다 ○○이와 □□이의 사이가 틀어졌을 때 나와 ㅁㅁ이는 뿌까와 뿌까 남자 친구가 그려진 비밀 일기장에 교환일기를 쓰게 되었다. 조금은 안심이 되었다. 실핀으로도 열 수 있는 조악한 자물쇠지만, 그 열쇠를 나눠 갖는 것은 중요했다.

이유들은 다 기억이 안 나는데, ㅇㅇ이와 ㅁㅁ이가 다시 친해져 둘이 그 일기장을 열고 내가 ㅇㅇ이를 나쁘게 이야기한 부분에 노란 형광펜 칠을 하기 시작했다. 대청소날이었고 그걸 담임선생님에게 가져갈 거라고 했기에, 다 망했다고 밀대걸레를 빨면서 생각했다. 그런데 형광펜 칠 검토가 끝나기 전, 담임선생님이 삼국지의 주요 인물들을 전산실로 불렀다. 모두 똑같은 간격으로 떨어져 앉아야 하는 전산실에서 통통한 CRT 모니터를 하나씩 끼고 앉았다. 선생님은 왼손으로 오른 팔꿈치를 받치고 오른손으로 리본 모양 목걸이를 만지작거리며 나긋한 목소리로 천천히 말했다. 지금은 또래 집단이 형성되는 시기이고, 당연한 거라 지켜봤지만 그러지 말라는 이야기였다. 전산실에서 나온 ㅇㅇ이는 뿌까 일기장을 화장실 쓰레기통에 버리고는 다가와 이제 사이좋게 지내자고 웃으며 말했다. 나는 내일부터 펼쳐질 사이좋음의 세계가 상상이 되지 않아 멍

하게 두려워하며 교실로 돌아왔다.

전산실에서 한 자리씩을 갖고 똑같이 떨어져 앉을 수 있는 아이들이 또래 집단으로 이렇게 묶였다가 저렇게 묶였다가 하면서 친구와 적을 오가는 것. 약속을 하고 또 그 약속이 깨지는 것. 이것이 우리가 보통 이해하는 우정과 갈등의 모습이다. 국제 체제에 대한 지배적 시각 역시 국가들이 맺는 관계를 현대 사회의 개인들이 맺는 관계로 바라본다.[1] 서로 분리된 개인들이 우정의 관계를 맺는 것처럼, 배타적 주권을 가진 동등하고 독립된 국가들이 친구가 되는 것이 이상적인 근대 국제 사회의 모습이다.

그렇다면 남북 관계는 어떤가? 흔히 말하는 '남북한이 갈등과 화해를 반복한다'는 것 또한 이런 모습일까? 지금까지 남한과 북한은 이상적인 국제 관계에서 말하는 '배타적 관계', 즉 서로를 남으로 배척하는 관계를 이루지 못했다. 2023년 7월 북한은 공식적으로는 처음으로 남한을 '남조선', '남조선 괴뢰 정부' 대신 '대한민국'이라 칭했으며, 남북한 사이의 이동 역시 '입경'

[1] 권헌익, 정소영 옮김, 『전쟁과 가족』(창비, 2020).

대신 '입국'이라고 표현했다. 언론에서는 남한에 대한 북한의 인식이 같은 민족에서 남남, 국가 대 국가로 바뀌었으며 "남북 관계를 민족에서 국가로 보려는"[2] 시도라고 보았다. 통일의 대상으로서 같은 민족이자 적이었다가 공존하는 별개의 국가로 전환되었다는 것이다. 처음 이름을 불러 준 일이 어째서 남이 되고 공존이 되는 일일까? 사이좋음의 내일은 왜 갈등의 매일만큼 여전히 불안했을까?

한 민족 두 국가

흔히 분단 한반도를 두고 '한 민족 두 국가'라고 표현한다. 이때 민족(nation)이 하나였고 하나여야 한다는 이상과 두 국가(nations)라는 현실이 충돌한다. 한 민족이 갈라져 있기 때문에 상대방은 나를 온전하게 만들기 위한 잠재적 나이며, 두 정치체가 있기 때문에 상대방은 부정해야 하는 적이다. 우호적 관계일 때도 남과 북이 둘인 동시에 하나라는 특수성은 유효하다. 1991년

[2] 「김여정 입에서 나온 '대한민국' … '투 코리아' 본격화하나」, 《연합뉴스》, 2023년 7월 11일.

남북이 합의한 「남북기본합의서」는 남북 관계를 "나라와 나라 사이의 관계가 아닌 통일을 지향하는 과정에서 잠정적으로 형성되는 특수한 관계"로 규정했다. "한반도와 그 부속도서로" 영토를 정하는 헌법 3조에 따르면 북한은 반국가단체, 불법단체다. 동시에 "대한민국은 통일을 지향하며, 자유민주주의적 기본질서에 입각한 평화적 통일 정책을 수립하고 이를 추진한다"라는 「헌법」 4조에 따르면 북한은 평화통일을 위한 협력의 상대다.

'한 민족 두 국가'는 '한 민족 한 국가'을 향한 서로 양립할 수 없는 두 이상을 낳는다. 한국전쟁과 분단은 두 정치 세력이 상대방이 주장하는 주권을 인정하지 않고 자신만이 한반도의 유일한 민족국가라고 주장하는 데서 유래했다.[3] 남한이 상상하는 한반도에는 남한만이 정당한 국가로, 북한이 상상하는 한반도에는 북한만이 정당한 국가로 있어야 한다. 국경은 한반도의 중간에 있지만, 우리는 전국 지도에서 북한의 지역을 보며, 일기예보에서는 수도권을 북부지방이 아닌

[3] 권헌익, 앞의 책.

중부지방이라고 표현한다. 이러한 이상은 비현실적인 선언에 그치지 않고 실재가 된다. 대법원은 「헌법」 3조에 따라 북한 지역의 주민도 한국 국민이라고 확인했으며, 북한 이탈 주민은 남한에 정착할 경우 이미 있는 한국 국적을 확인하는 절차를 밟는다. 행정안전부 산하의 이북5도위원회는 "국토 개념을 명백히" 하기 위해 이북 지역에 대해 도지사, 명예 시장군수, 읍면동장을 두고 있다. 각 지역 출신의 실향민들이 이 역할을 맡으면서 이북 지역을 남한 정부가 다스리는 가상의 시간을 언젠가 도래할 통일의 시점까지 이어 가고 있다. 북한 역시 한반도 전체 영토와 사람들을 다스리는 시간을 실재로 붙들고 있기 위해 노력한다. 그래야만 남한과 북한은 지금의 모습으로 존재할 수 있다.

이때 통일은 하나의 한반도에 있는 두 부분이 결합하는 것이 아니라, 현재와 미래를 아울러 서로 다른 전체를 그렸던 두 전체 한반도가 충돌하는 일이다. "기독교하고 자유민주주의하고, 어? 북한에 김일성주의하고 그게 같이 갈 수 있어? 못 하지. 김일성이가 태양의 신이거든? 하나님하고 김일성이가 매치가 되겠어? 그게 안 되지." "통일이래는 건 국가 하나와 하나가 합치는 건데! 어찌 동등한 국가 원수가 둘이 될 수 있느냐."[4]라는 어느 실향민 1세의 말은 이를 잘 드러낸다.

따라서 한반도에는 '한 민족 두 국가'가 있는 세계와 '한 민족 한 국가'에 대한 두 가지 이상이 있는 세계가 공존한다. 얼마 전 임진각에 갔을 때 철조망에 걸린 여러 그림 중에 어린이가 그린 듯한 그림을 보았다. 빨간 하트 속에 두 사람이 웃으며 나란히 서 있고 왼쪽 사람 밑에는 북한, 오른쪽 사람 밑에는 한국이라고 쓰여 있었다. 이 그림은 두 명이 동등한 크기로 서 있는 그림인 동시에, 이미 오른쪽 한 사람의 관점에서 그려진, 그가 왼쪽 사람을 먹어 하나가 될 것이 예정된 그림이다. 북한 역시 남쪽을 먹어 온전해지기를 원한다. 만일 북한의 어린이가 함께 웃는 두 사람 밑에 조선, 남조선이라고 썼다면 두 그림은 통일에 대한 서로 다른 개념도가 된다. 문재인 전 대통령과 김정은 국무위원장이 손을 잡은 장면은 누군가에게는 앞의 그림이고 누군가에게는 뒤의 그림일 수 있다.

[4] 이경빈, 「실향민 공동체의 시간과 위기: 이북5도청과 도민조직에 대한 인류학적 연구」(서울대 인류학과 석사학위 논문, 2021).

원래 하나였던 한반도가 두 한반도로 나눠지고 한쪽이 다른 쪽을 먹는 이 구도는 이름 없는 괴물 이야기를 닮았다. 이름을 갖고 싶었던 괴물은 둘로 나뉘어 한 마리는 동쪽으로, 한 마리는 서쪽으로 여행을 떠난다. 나뉜 괴물은 반쪽이 아니라 원래의 괴물과 같은 몸을 하고 있다. 동쪽으로 간 괴물은 마을로 가서 사람에게 이름을 받고 그 사람의 안으로 들어가지만, 배가 고파지면 안에서 그 사람을 먹어 치우고 이름 없는 괴물로 돌아가기를 반복한다. 왕자의 이름이 마음에 들었던 괴물은 왕자의 몸 안으로 들어가 왕자를 먹지 않고 참는다. 하지만 너무 배가 고파서 이름을 불러 주던 성의 사람들과 서쪽 괴물까지 먹어 버리고 만다. 더 이상 이름을 불러 줄 이 없이 세상에 혼자 남은, 왕자의 모습을 한 괴물은 말한다. "요한, 멋진 이름이었는데."[5]

인류학자 에두아르두 비베이루스 지 카스트루는 집단 간에 끊임없이 전쟁을 하는 16세기 투피남바 아

[5] 우라사와 나오키, 오경화 옮김, 『몬스터』(서울문화사, 2006).

마존 원주민의 사례를 연구하는데, 여기에서도 포식은 이름과 이어진다. 이름 없는 괴물이 다른 사람의 안으로 들어가 이름을 얻었다가 포식을 통해 다시 이름을 잃는다면, 투피남바에서 승리한 전사는 포로가 된 적을 먹는 의례를 통해 그의 이름을 획득한다. 포로의 입장에서 말하자면 전사는 적에게 먹힘으로써 가장 고귀한 죽음을 맞이하고, 적의 이름이 되어 불린다. 또한 자신의 복수를 해 주려는 집단 사람들에 의해 오랫동안 기억되면서 자신의 집단과 적 사이에 연결을 만들어 낸다. 투피남바의 전쟁은 영토를 두고 벌이는 정복 전쟁이 아니라 이름을 가져와 기억할 타자를 언제나 남겨 두는 전쟁이다. 사람들은 계속되는 복수와 전쟁 속에서 타자를 흡수함으로써 스스로 변형되며, 이 과정 자체가 정체성을 이룬다.[6]

반면 남과 북은 상대의 이름을 부르는 순간 내가 먹을 수 없는 남이 되기 때문에, 상대를 잠재적 나로 두기 위해서는 그 이름을 부정해야 한다. 이때 포식은 타자가 되는 흡수가 아니라 저 '나'를 이 '나'로 만들고자

[6] 에두아르두 비베이루스 지 카스트루, 존재론의 자루 옮김, 『인디오의 변덕스러운 혼』(포도밭출판사, 2022).

하는, 이 '나'가 온전해지고자 하는 흡수다. 그렇지 않으면 내가 저 '나'가 되어 사라지기 때문에 전쟁은 절박한 절멸전쟁이 된다. 잠재적 나라고 할 때의 잠재성은 이중의 의미를 가진다. 상대는 언젠가 수복해 나로 만들어야 하는 희망의 대상이자, 나를 삼켜 저 '나'로 만들 수 있는 두려움의 대상이다. 적에게 먹히는 것은 영원히 기억되는 명예가 아니라, 기억해 줄 타자 없이 저 '나'로 평생 살며 이 '나'가 기억되지 않는 불명예다. 우리는 북한이 승리했다면 나 자체가 없었을 것이라고 상상하기보다는, 공산 치하에서 숙청당하거나 배를 곯고 살고 있었을 거라고 이야기한다. 남과 북은 내가 반쪽으로 비쳐서 계속 배가 고프게 하는 거울이다.

두 세계 사이의 진동

2차 세계대전 후 식민지였던 지역들은 민족 국가를 새롭게 이루고 국제 사회의 일원으로서 동등한 지위와 자기 결정권을 얻는 탈식민 과정을 거쳤다. 그러나 이는 정치 양극화의 과정이기도 했다. 신생 독립국들은 자유 진영 아니면 공산 진영에 편입되었고 냉전의 위기가 고

조되었다. 이런 상황 속에서 미국의 인류학자 마거릿 미드는 세계 시민을 대상으로 문화 다원주의의 정신을 교육한다면 다원성을 통한 통합이 가능할 것이라 꿈꾸었다.[7] 사회인류학을 주창한 맥스 글럭먼은 아프리카 정치 시스템이 집단 간의 분쟁을 배태하지만, 집단 사이를 가로지르는 혼인과 교역 관계가 화해를 위한 외교적 역할을 한다는 점을 재조명하면서, 두 집단을 가로지르는 관계가 불가능한 냉전체제에 경종을 울리고자 했다.[8] 두 진영의 대립이 만드는 폭력 속에서 미드는 제3을 만들려고 했고 글럭먼은 사이를 만들려고 했다고 할 수 있지만, 두 시도 모두 어려움을 겪었다.

두 진영을 가르는 냉전의 중심에 있었던 한반도 역시 마찬가지다. 저 '나'가 있으면 이 '나'가 없고, 이 '나'가 있으려면 저 '나'가 없어져야 하는 상황에서 양쪽은 모든 것을 나 아니면 너로 명확히 하려 한다. 최인훈의 『광장』에서 중립국을 선택하겠다고 말하는 이명

[7] Heonik Kwon, "Anthropology and world peace," *HAU: Journal of Ethnographic Theory* Vol.10(2020), pp. 279~288.
[8] Max Gluckman, "The Peace in The Feud," *Past and Present Vol.8(1955)*, pp.1~14.

준에게 공산측 장교는 "동무, 중립국도, 마찬가지 자본주의 나라요."라고 답한다. 이분법적 세계에서 내가 아닌 것은 저쪽이며, 사이나 바깥의 자리는 둘 속으로 쉽게 편입되어 버린다.

그렇다면 둘이 아닌 자리를 어떻게 새로운 방식으로 상상할 수 있을까? 앞에서 보았듯 한반도는 '한 민족 두 국가'가 있는 세계와 '한 민족 한 국가'에 대한 평행우주가 있는 세계에 같이 있다. 냉전이 전 세계의 국가를 빨간색 아니면 파란색으로 만들려는 카드 뒤집기 게임의 평면이라면, 한반도라는 카드는 한 면의 반쪽은 빨간색으로, 반쪽은 파란색으로 칠해진 종이다. 동시에 한반도는 붉은 진영의 우주에서는 붉은색 면으로, 푸른 진영의 우주에서는 파란색으로 보이는 양면색종이다.

기존에 상상되는 남과 북의 갈등과 화해는 두 반쪽 사이의 거리가 멀어졌다 가까워졌다 하는 것, 둘 사이의 경계가 짙어졌다 멀어졌다 하는 것, 따라서 단절과 교류를 반복하는 것이었다. 하지만 남과 북의 갈등과 화해는 오히려 서로 다른 연결의 방식을 오가는 것으로 이해할 수 있다. 한반도에 두 국가가 있는 세계와 서로 다른 한반도 두 개가 있는 세계. 금방이라도 통일이 될 것 같다가도 다시 관계가 '제자리'로 돌아오기를 반복하는 이유는 남북한의 존재 자체가 이 이중의 세계에 있기 때문이다. 남과 북이 갈등할 때는 서로 상대의 존재를 부정하는 관계 방식이, 화해할 때는 둘이 함께 존재함을 인정하는 관계 방식이 전면에 드러난다.

친구가 되면 연결되고 적이 되면 단절되는 것이 아니다. 갈등은 다른 관계의 세계를 만든다. 이렇게 보면 화해는 단절의 세계가 만드는 관계의 닫힘이기도 하다. 영화 「2차 송환」(김동원 감독, 2022)에서 한 비전향장기수는 남과 북이 화해 무드가 되면 고향으로 돌아가기 위해 짐을 싸서 머리맡에 두었다가, 다시 남북 관계가 경색되면 짐을 푼다. 이들은 남과 북이 서로를 인정하는 세계에서 존재가 온전해진다. 한편 납북자 가족단체는 선불리 종전선언을 하면 남과 북이 화해하는데 껄끄러운 존재인 납북자 문제는 논의되기 어렵다고 외친다.[9] 이들은 남과 북이 서로를 인정하는 세계에서 존재가 희미해진다.

[9] 「"우린 유령인가"… 종전선언땐 지워진다, 납북자 가족들의 통곡」, 《조선일보》, 2021년 12월 14일.

이 글에서 반복한 우리 민족, 우리 나라에서 '우리'는 너가 없는 우리다. "우리가 남이가"라는 말은 친구를 남과 반대인 것으로 두지만, 오직 남이 될 수 있는 사이만이 친구가 된다. 남과 적은 다르고, 적은 남이 아니다. 적은 친구보다 나에게 가까이 있다. 저 사람은 친구일까, 적일까라는 질문은 저 사람은 남일까, 나일까라는 질문이다.

경계가 분명한 고등학생이 된 나에게는 싸운 적이 없고 담백하게 친구라고 말할 수 있는 좋은 친구들이 생겼다. 그중에 5학년 때 ○○이와 성이 다른 박○○과는 특히 가까웠다. 몇 년 전 생일에 유산균을 선물받았고, 본가에 가져가 엄마에게 한 포를 건넸다. 기억, 이름, 포식. 2002년 식탁에 앉아 울던 나를 기억하는 엄마는 유산균을 먹으려다 질색하며 "○○이? 가 이름 꺼내지도 마라."라 했고, 내가 "아니! 김○○ 말고 박○○!"라고 말하자 그제야 유산균을 뜯어 먹었다.

건강한 관계 맺기의 기술들이 말하듯이 모든 관계가 주체적인 사람이 되고 나서 가능하다면, 사람이 늘 껍질이 단단한 개인인 채 관계 맺는다면, 가장 먼저 '나'가 있고, 그와 독립된 '너'가 있고, 그다음에 '우리'가 있을 것이다. 둘 사이에 교환되는 일기장, 선물, 마음들은 이미 온전한 두 개별체를 접착시켜 '우리'로 만들어 줄 것이다. 하지만 우리가 친구라고 부르며 아끼고 미워하는 많은 남들은 적이자 나다. 김○○을 친구라고 부를 수 있을지 생각해 보면 그냥 무서운 기분이 된다. 억지로 친구라고 부르면 도대체 이해할 수가 없어서, 혹은 지금 나의 성격을 설명하려면 꼭 필요해서 그 누구보다 많이 생각한 친구다. 끝내 부정하면서도 이떤 차원에서는 긍정할 수밖에 없는 누군가. 저 사람만 없으면 완벽한 나일 것 같은 그 존재는 지금의 나를 지탱하고 있다.

남과 북은 서로에게 국제 관계의 쌍방이 되어 주지 못하고, 따라서 둘 사이에 안정적인 교환은 이루어지지 못했다. 무언가 흐르고 교환된다면 그것은 둘 사이에서가 아니라 부정의 세계와 공존의 세계 사이에서 일어난다. 우리가 맺는 어떤 관계들에서도 지금 너와 내가 가까운지 먼지, 잘 흐르는지 단절되었는지 묻는 질문은 관계의 모양을 가릴 수 있다. 나에게 물을 일이다. 지금 재랑 나는 남인가? 남을 부정하는 관계에서도, 남과 공존하는 관계에서도 안전한 자리를 찾지 못했던 이들이 두 세계 사이에서 자리를 만들 수도 있을 것이다.

정치에서 우정 찾기

김민하

김민하 정치·사회 평론가, 칼럼니스트. 민주노동당, 진보신당 등에서 일하며 한국의 진보정치가 현실적 대안으로 자리 잡는 데 조금이라도 보탬이 되고자 했으나 무엇이 잘못됐는지 기대만큼 잘되지 않았다. 직업으로서 진보정치를 그만둔 이후에는 현실정치 전반을 분석하고 비평하고 있다. 신문, 잡지 등 여러 매체에 글을 기고하고 있으며, 밤낮을 가리지 않고 TV와 라디오의 뉴스, 시사프로그램에 패널로 출연하고 있다. 지은 책으로 『저쪽이 싫어서 투표하는 민주주의』, 『냉소 사회』, 『레닌을 사랑한 오타쿠』가 있으며, 『지금, 여기의 극우주의』, 『우파의 불만』 등에 필자로 함께 참여했다.

[주요어] #극한갈등 #반기득권서사 #자유평등우애

[분류] 정치학 > 정치평론

“사회 구성원 전체에 대한 우정,
즉 우애가 작동한다면
왜곡된 자유와 평등의 의미도
바로잡을 수 있다.
민주주의는 ‘나’만큼 ’남’을
사랑할 수 있어야,
즉 연대의 정신이 일반적으로 실천돼야
사회 전체를 위한 해법이 도출될 수 있고
그래야 제대로 작동할 수 있다.”

오늘날의 정치적 상황을 보면 소속 정파가 다른 사람들끼리의 '우정'은 불가능한 것처럼 느껴진다. 여당과 야당에 각각 소속된 정치인들은 서로를 악마화하며 독한 말을 쏟아낼 뿐이다. 머리를 맞대고 문제 해결 방법을 찾는 '좋은 정치'에는 별로 관심이 없고 극한 대립의 구도를 만드는 데만 몰두한다. 이런 사람들이 서로 신뢰관계를 쌓고 거기에 기반한 어떤 결정을 할 수 있으리라고 기대하기는 매우 어려워 보인다. 정치에서 우정은 불가능한 것인가?

'어려울 때 친구가 진짜 친구'

우정이 무엇인지 정의하는 방법에는 여러 가지가 있을 것이다. 그런데 특히 오늘날에 맞는 방법으로 하려면 손해에 대한 감각을 먼저 다뤄야 한다. 세상만사를 모두 이익과 손해로 판단하는 세상이기 때문이다. 주식시장에서 쓰는 말인 '손절'을 주로 인간관계에 쓰는 예가 그렇다. 본래의 용례는 '손절매'다. 이미 손해를 봤지만 주식을 계속 갖고 있어 봤자 더 큰 손해가 예정되어 있을 뿐이니 손해를 감수하더라도 지금 팔겠다는 뜻이다. 오늘날 우리는 금전적으로든 심리적으로든 이익이 되는 관계는 남기고 손해가 되는 관계는 끊어내는 게 인간관계를 현명하게 관리하는 비법으로 통용되는 세상에 살고 있다.

이익이 되는 인간관계에 대해서는 온갖 미사여구를 붙일 수 있는데, 우정도 그렇게 동원될 수 있다는 점을 생각해 보자. 가령 미국 대통령과 일본 총리의 관계를 우정으로 묘사하는 것은 어떤가? 실제 1983년 로널드 레이건과 나카소네 야스히로가 정상회담을 열었던 장소인 도쿄도 니시타마군 히노데마치에선 '론·야스

(로널드의 '론'과 야스히로의 '야스') 만주'를 우정을 상징하는 간식거리로 팔고 있다.

미일안보조약 개정 이후 일본은 친대만 노선을 펴왔다. 미국-일본-대만이 한편이라는 인식하에서다. 그러나 헨리 키신저의 방중 이후 1979년 소련을 견제하자는 공통 목표 아래 미국이 중국과 외교관계를 정상화하고 대만과 단교하자 일본은 닭 쫓던 개 신세가 되었다. 1982년부터 집권한 나카소네는 이 상황의 만회를 위해 '불침 항공모함'이라는 말로 대표되는 미국과의 안보협력 강화를 추진했다. 이게 론·야스 밀월관계의 배경이다. 나카소네는 일본인치고 키가 컸는데, 미국 대통령과 대등한 높이에서 눈을 맞추는 장면을 보여 줘 국내의 유권자들에게 '대통령형 총리'라는 이미지를 각인시키는 부수적 효과도 있었다.

론·야스의 우정이 갑자기 하늘에서 떨어졌겠는가? 지도자가 되기 전엔 일면식도 없는 사이였을 거다. 그렇다면 로널드 레이건과 나카소네 야스히로라는 각 개인의 관계는 우정일까? 대다수의 사람이라면 고개를 갸우뚱할 것이다.

반대로 손해가 되는 관계에서라면 어떨까? 이 사

례의 대표 격은 전두환-노태우 관계이다. 두 사람은 육군사관학교 동기로 그 시절부터 '절친'으로 유명했다. 노태우가 회고록에서 특별히 "우리는 우정과 동지애가 유난히 강했다."라고 했을 정도다. 이들은 12·12 군사반란을 함께 했고 전두환은 불법적 방식으로 대통령이 되었다. 그러나 6·29 선언 등을 거쳐 후계자인 노태우가 정권을 잡은 후 5공화국 청산 여론이 높아지면서 전두환은 백담사에 칩거해야 하는 신세가 됐다. 노태우는 회고록에서 "우정을 국가보다 상위에 놓을 수 없게 됐다."라고 했다. 전두환은 이후 상당 기간 노태우에 대한 섭섭한 감정을 직간접적으로 토로했다.

'우정'은 깨진 것일까? 1996년 12·12와 5·18에 관한 선고 공판에서 두 사람이 손을 잡은 채로 피고인석에 서 있는 사진은 그렇지 않다는 것을 말해준다. 둘이 손잡고 있어 봐야 욕만 더 먹을 뿐인데도 굳이 손을 잡은 이유는 무엇이겠는가. 이건 우정으로 해석할 수밖에 없다. 손해가 되는 관계에 놓였더라도 개인으로서 우호적 관계를 유지하고 있다면 그건 우정 덕분이다.

물론 오늘날에도 여전히 정치인끼리의 우정은 가능하다. "낮에는 국회에서 멱살잡고 싸우다가도 밤이 되면 서로 형님 동생 하면서 술잔을 기울이더라."라는 식의 정치인의 이중성을 꼬집는 비아냥도 있지만, 반대 입장이더라도 각자가 하는 일에 나름의 이유가 있다는 걸 서로 정확히 안다면 정치인끼리도 얼마든지 우정에 준하는 관계를 맺을 수 있다. 그러나 정치인 당사자로서 신경 쓰지 않을 수 없는 건 그러한 우정이 지지자의 눈에 어떻게 보일까 하는 점이다. 각 정당의 공직후보 선출 원리를 국민경선으로 하는 게 상례가 되고 이게 주류정당의 대중정당화로 이어지면서 우리 정치는 그 어느 때보다도 지지자의 의사를 신경 쓰지 않을 수 없는 처지에 놓여 있다. 과거에는 '총재'나 계파 보스에게만 잘 보이면 정치적 미래를 보장받을 수 있었지만, 이제는 그렇지 않다.

가령 상대당 인사들과 과거부터 매우 밀접한 관계를 맺어 온 정치인이 있다고 해 보자. 가만히 있어도 이런저런 비난과 의심을 받는 상황에 상대와 협력하는 정치를 하자고까지 하면 오늘날의 정치 풍토에서 대개의 지지자는 비난을 퍼붓고 "배신자는 가라!"라고 할 것이다. 이런 인사가 정치판에서 살아남는 방법은 지지자들의 입맛에 맞는 발언과 행동을 계속해 상대편이 아니라는 것을 계속 증명하는 것뿐이다. 그러니 정치가 극단화될 수밖에 없다.

우리 정치의 이런 상태를 보면 '정파가 다른 지지자 간의 우정은 가능한가'에 대한 답을 먼저 구해야 할 것 같다. 물론 정파의 지지자를 자처하는 경우라도 주변의 모든 인간관계가 정치적으로 동질한 경우는 거의 없다. 그런데 지지자의 가상공간에서 행동 양식을 보면 서로 지지하는 게 다른 사람 사이의 우정은 불가능한 것처럼 느껴질 때가 많다. 요즈음에는 '1찍'이니 '2찍'이니 하면서 서로에 대한 공격이 인종주의적 양식을 취하는 수준에 이른 게 아닌가 하는 생각도 든다. 왜 이렇게 된 것일까? 여기가 오늘날 우리가 직면한 민주주의의 모순과 한계를 드러내는 매우 중요한 대목이다.

현대 정치의 근본이 되는 대의민주주의는 모든 사람이 자신의 대표에 대한 평가를 일상적으로 하면서 선거에서의 투표를 통해 신임 여부를 결정하는 방식을 취한다. 온라인의 시대가 오기 전에는 유권자가 선출한 대표에 대한 공식적 평가는 언론과 같은 공론장의 기구를 통해 간접적으로 이뤄졌다. 그러나 SNS가 등장하면서 유권자들의 평가는 직접적이며 많은 경우 국민의 대표에 직접 전달되는 형식을 취하게 되었다. 정치인과 유권자 또는 유권자와 유권자 관계는 SNS에서 얼마든지, 무제한적으로 직접 연결된다.

SNS는 만물이 이어지는 초연결사회를 만든 존재처럼 취급되지만 실제 그 안에서 벌어지는 일은 자신이 믿고 싶은 것만 믿고, 보고 싶은 것만 보게 되는 확증편향과 필터버블이라는 말로 거의 모든 걸 설명할 수 있다. 사실과 다른 내용의 글도 특정 집단의 공감을 얻으면 순식간에 몇 천 번에 걸쳐 공유 혹은 재게시된다. 많은 경우 글의 진실성 여부는 판별되지 않는다. 글 내용이 진실하지 않다고 믿는 집단에선 공유 자체를 하지 않고, 글의 내용을 믿는 집단에선 곧이어 또 다른 비슷한 글이 같은 역할을 하기 때문이다. 이 과정을 일정 기간 거치고 나면 마치 분단된 남북의 언어가 달라진 것과 같은 일도 일어난다. 분명 한국어를 사용하고 있지만 특정 정당 지지 활동을 일상적으로 하지 않는 사람은 대화를 이해하기 어려워진다. 민주당 지지자들이 '수박'이라는 표현을 처음 쓸 때가 그랬다. 누구더러 수박이라기에 그게 무슨 말인가 했는데, 겉은 민주당(파란색)이나 속은 보수정당(빨간색)이라는 게 아닌가.

게다가 온라인 세계의 발화는 그 맥락이 뭐든 공적 영역의 일부처럼 다뤄진다. 그런데 정작 글을 올릴 때는 다들 오프라인에서와 같은 가벼운 마음가짐이다. 그러니 썼는지 기억도 하고 있지 못하던 글에 대해서까지 책임 추궁을 당하게 된다.

어느 판사의 경우 정치인의 사망한 전직 대통령에 대한 사자명예훼손 사건과 관련해 이례적 선고를 했다는 이유로 대학생 시절 정치적 쟁점에 대해 썼던 글까지 정치적 편향의 사례로 다뤄지는 수모를 겪었다. 과연 자기가 나중에 판사가 될 줄 알고 그랬겠는가. 이 판사의 경우 현직에 있을 때 쓴 글도 문제가 되었는데, 선거 결과 등에 대한 개인적 소감을 적은 게 대부분이다. 현직일 때는 정치적 중립을 엄격히 지켜야 한다는 점에서 이런 글은 명백히 부적절하다. 그러나 적어도 중요 직책으로 가서는 과거의 글을 비공개로 전환했으므로 만일 이게 형사사건으로 다뤄진다면 정상참작의 여지가 있었을 거다. 그러나 온라인의 글을 다루는 여론의 차원에서는 글을 지운 것도 소용이 없었다. 모두가 자기는 책임지지 않는 방식으로 말하면서 남의 말에는 책임을 지우는 게 오늘날의 온라인 화법인 셈인데, 바로 이 점이 온라인상의 정치적 분쟁을 격화시키는 원인 중 하나다. 이게 대의민주주의에서 유권자가 정치를 인식하는 일반적 방식과 결합하면 부정적 효과는 배가된다.

현대의 대의민주주의에서 유권자는 대부분의 정치적 결정 과정에서 배제돼 있다. 보통은 지식과 권력을 가진 정치인과 관료들이 알아서 한다. 물론 정치인이나 관료가 어떤 결정을 할 때는 고려해야 할 다양한 변수가 있기 마련이다. 이런 변수에 무엇이 있는지, 그러한 고려를 실제 결과에 어떻게 적용했는지는 다수 유권자들이 알 수 없다. 그래서 기대에 맞지 않는 결정이 내려졌을 때 유권자는 '사익 추구를 위한 권력 남용'의 사례를 먼저 떠올린다. 정치인이나 관료가 국민의 대표 혹은 종복으로서가 아니라 오직 자기 배를 불리기 위해서만 보이지 않는 곳에서 권력을 활용하는 게 아닌가 하는 의심이다. 한마디로 '반기득권 서사'다.

이게 온라인의 환경과 결합하면 어떻게 되나? 이러한 '반기득권 서사'를 상대에 선택적으로 적용하고, 상대 주장의 합리성을 근거를 갖춰 따져 보는 일보다는 배후의 의도를 의심하는 게 거의 전부가 된다. 의도에 대한 의심은 곧 상대방을 악마화하는 일로 이어진다. 이러면 공동체 문제의 해결 방법을 찾아가는 정치의 본질 역시 '이번에는 누가 이길 것인가' 혹은 '우리 편이 이기기 위한 가장 좋은 방법은 무엇인가'로 변질될 수밖에 없다. 실제 '지지자의 정치'가 이미 이렇게 되어 버렸기에 상대를 악마화해서 책임지지 못할 방식으로 공격하고 자기편의 기대에만 호응하는 정치인들이 양산되고 있다. 당연하게도 여기에 우정은 설 자리가 없다.

우애가 작동한다면

인류가 민주주의의 시대를 여는 계기 중 하나가 된 프랑스 혁명을 상징하는 세 가지 단어는 자유, 평등, 우애(Fraternité)다. 자유와 평등은 오늘날에도 다양한 방식으로 쟁취의 대상이 되고 있으나 우애라고 하면 코웃음치는 사람이 더 많다. 그러나 우애는 오늘날 정치가 본질적 역할을 하기 위해 가장 필요한 것이다. 자유와 평등은 각 개인이 오직 그 자신만을 위한 방식으로 남용하는 일이 많다. 오직 자기가 하고 싶은 대로 하는 걸 자유라고 하고 자기가 좀 더 가져야겠다는 걸 평등으로 부르면서 강자가 자신을 피해자나 약자로 포장하는 일이 비일비재한 세상이다. 그러나 사회 구성원 전체에 대한 우정, 즉 우애가 작동한다면 왜곡된 자유와 평등의 의미도 바로잡을 수 있다. 민주주의는 '나'만큼 '남'을 사랑할 수 있어야, 즉 연대의 정신이 일반적으로 실천되어야 사회 전체를 위한 해법이 도출되고 그래야 제대로 작동할 수 있다.

심의민주주의 등의 거창한 개념을 말하면 다들 한숨부터 쉬니 손에 잡히는 얘기로 끝맺고 싶다. 10개 가구가 사는 5층짜리 다세대주택 1층에 살면서 주기적으로 하수가 화장실로 역류하는 일을 겪고 있다. 모든 세대가 쓰는 생활하수가 건물 밖으로 나가기 바로 전 단계에서 섞인 기름 등이 불량한 배관으로 생긴 특정 구간에 고여 있다 딱딱하게 굳어 하수관을 막고, 그러면

배출되지 못한 하수가 1층 혹은 반지하층으로 역류하게 되는 것이다. 100만원에 달하는 비용을 들여 고압물세척을 하면 하수관 상태는 초기화(?)되지만 불량한 배관 상태는 그대로니 같은 일은 주기적으로 반복될 수밖에 없다.

몇 차례 시행착오 끝에 유튜브 활동에 열심인 하수구 전문가들을 불러 일단 고압세척을 하긴 했으나 다른 세대와 비용을 분담하는 것부터가 문제였다. 역류가 일어난 후에 수습하는 것은 소용없고 그런 비극적인 일이 일어나기 전에 사전적으로 고압세척을 해야 한다는 점에서, 이건 그저 돈 문제가 아니라 규범을 만들 필요가 있는 문제다. 이런 일에 대비해 모든 세대가 매월 5000원씩 내도록 하고 2년마다 하수관 고압세척을 하기로 정하든지 하는 방식으로 말이다.

아파트와 달리 다세대주택은 질서가 제각각이다. 주로 총무 역할을 하는 사람이 있다면 이런 논의가 그런대로 잘 풀리지만 그조차 없다면 쉽지 않다. 총 세 번의 역류 사태 중 비용 분담에 성공한 것은 한 번뿐이었다. 건물 하수관 상태와 1층에 사는 사람이 겪는 문제, 비용 분담 방식 논의 필요성 등을 상세히 적어 모든 세대에 편지 형태로 돌렸지만 효과를 보지는 못했다.

다들 무슨 생각인 걸까? 싱크대 하수구에 기름을 흘려보내는 것은 자기 '자유'고, 원인이 뭐든 각자의 집에서 생긴 일은 각자 알아서 해결하는 게 '평등'한 해법이라고 생각하는 것일 수도 있다. 1층 사는 사람이 자기 책임을 감추고 비용을 남에게 전가하려는 음모를 꾸미는 것 아닌가 의심을 하고 있을 수도 있다. 오늘날 인터넷 공간의 정치적 '악플'들은 대개 이런 식의 논리를 답습하고 있다. 내가 '악플러'들과 한 건물에 살고 있을 수도 있는 거다.

물론 이런 생각을 혼자 해 봐야 아무 소용 없다. 억울한 감정에 매달리기보다는 먹고 살기 바쁜 와중에 '자기 일'이 아니다 보니 신경을 쓰지 않고 있는 게 아니겠나 생각한다. 4층 사는 사람 입장에선 자기 때문에 1층 화장실이 몇 년에 한 번씩 역류한다는 건 별로 중요한 일이 못 되는 것이다.

그러나 이건 건물 전체의 문제고 해결 방법이 마련되어야만 한다. 그렇게 되려면 다들 이게 '자기 일'이라는 걸 납득하고 인정하는 과정이 필요하다. 건물에서 일어나는 일로부터 책임을 면할 수 있는 사람은 없다는 것, 그 와중에 억울한 일을 겪는 사람이 없게 한다는 대전제에 동의해야 한다는 거다. 자신이 좀 손해를 보더라도 다른 사람의 억울한 피해를 막기 위해 감수하는 것, 그게 바로 이웃을 향한 우정이고 사회적 차원에서의 우애가 아니겠는가. 다세대주택을 우리 사회에 대한 비유로 본다면 이 과정이 바로 민주주의를 제대로 작동하게 만드는 노력인 것이다.

민주주의가 실효적으로 작동하려면 참여자들이 문제를 자기 자신의 일로 다룰 수 있어야 한다. 직접 해결 과정에 참여하고 그 결과에 책임질 수 있어야 한다는 거다. 무엇보다 앞서 묘사한 온라인 세계의 입씨름이 단지 진영에 대한 것일 뿐, 실제 사회적 문제에 대한 게 아니라는 것부터 깨달을 필요가 있다. 남과 세상에 대한 무지를 인정하고 좀 더 알기 위해 노력해야 한다. 모르는데 어떻게 우정이 가능하겠는가.

바닷가 동네의 친구들

장현정

장현정　호밀밭 출판사 대표. 부산대 사회학 박사과정을 수료한 후 인문과 예술을 중심으로 글쓰기와 문화 기획 등의 활동을 하고 있다. 『록킹 소사이어티』, 『소년의 철학』, 『바다의 문장들』 등을 썼고 『파시스트 거짓말의 역사』, 『주4일 노동이 답이다』 등을 옮겼다.

[주요어] #변방 #사나이문화 #다양성

[분류] 사회학 > 지역학

“무속에 가까운
믿음 체계 속에서 우리는
순간순간을 꼭꼭 씹어 먹어야
후회하지 않을 것이라는
건강한 예감을 공유했다.”

광안리에 옹기종기 모여 사이좋게 낄낄대며 함께 늙어가는 친구들이 있다. 어릴 때는 왜 그렇게 서로를 못 잡아먹어서 안달이었을까. 남에게 보이기 어려운 두려움과 초라함을 우리끼리만 공유하며 자주 마시고 가끔 걷다가, 요즘은 건강 때문에 가끔 마시고 자주 걷는다. 때때로 서울로, 또 외국으로 나가 성공했다는 어릴 적 친구 소식에 잘되어서 다행이라는 마음 98퍼센트와 빨리 망해서 돌아왔으면 좋겠다는 마음 2퍼센트를 여과 없이 나눈다. 그 시기와 질투조차 '너라도 잘 먹고 잘살아라.' 비슷한 심정이 되어 이제 망하길 바라는 마음은 1퍼센트도 안 될지 모른다. 바닷가 사람들이라 이렇게 통이 크다.

내가 바다를 처음 본 건 아홉 살 때다. 그때의 느낌은 뭐랄까, 말 그대로 압도당했던 것 같다. 인간의 힘으로 파악할 수 있는 세계란 생각보다 왜소할지도 모르겠다는 막연함을 일찍 감지했을지 모른다. 그 시절 광안리는 해가 지면 온통 깜깜해져서 파도 소리만 들릴 만큼 적막한 어촌이었다. 그러다 1980년대 들어 고급 아파트 단지와 함께 카페와 클럽, 식당과 호텔 등 낯설고 신기한 상업 시설이 하나둘 빠르게 들어서면서 불과 수 년 만에 완전히 다른 분위기가 되었다.

1980년대 말 해외여행이 자율화되기 전까지는 아무나 외국에 드나들 수 없었다. 그만큼 나와 친구들은 외국에 대한 동경이 컸는데 친구 아버지나 동네 어른 중 배 타는 분들이 많아 일본 문화를 비롯한 외국 문물을 빠르게 접할 수 있었다. 결정적으로 바닷가 웬만한 집에서 특별한 장치 없이도 일본 방송 전파가 잡혔기에 우리는 서울 중심의 대중문화와 다른 감수성을 느끼며 자랐다. 몇 년 뒤 해외여행이 자유로워지고 'X세대' 같은 말이 등장했을 때 부산 사람에게 먼저 알려진

패션이나 이국적인 문화가 북상하며 전국적으로 퍼졌다. 나와 친구들은 '느그는 이런 거 모르재?' 하는 바닷가 사람의 묘한 공동체성과 그런 문화의 원조는 우리라는 허세의 단맛을 삼켰다. 동시에 지금 여기가 아닌 바깥의 다른 삶을 꿈꿨다.

나는 아직도 부산이라는 도시를 생각할 때면 '변방'이라는 단어가 가장 먼저 떠오른다. 한양과 멀리 떨어진 만큼 이곳은 역사적으로 주류 질서에서 벗어나 있었다. 그리 멀지 않은 과거에는 안동이나 영주 같은 경북 내륙 사람이 결혼 상대로 부산 사람을 데려가면 '갯가(물가)' 사람과는 겸상 안 한다며 손을 내저었다고 한다. 그런 한편 바닷가 사람들의 정서는 하나의 질서로 수렴되지 않는다. 바다를 상대하는 일이 항시 위험한 만큼 보수적인 문화가 지배적이나 바다를 통해 늘 외부 사람들이 드나들기 때문에 개방적인 혼종성 또한 존재한다. 한양에서 무슨 일이 일어나든, 왕이 바뀌든 말든 남쪽 끝 변방 사람들끼리 잘살아 보고자 나름의 체계를 만들어 온 문화는 부산에서도 명맥을 유지하고 있다. 그런 정서가 한창 감수성 예민한 시기의 나와 친구들에게도 분명히 큰 영향을 끼쳤을 것이다.

바다 '사나이'의 문화

영화 「친구」(곽경택 감독, 2001)는 부산 남자들의 우정을 가장 잘 표현한 작품으로 곧잘 평가받는다. 주인공들의 어린 시절 놀이터는 바다였다. 바다에서는 다른 곳에서 인정받는 가치나 위계가 별로 중요하지 않다. 바다에 빠지면 다 똑같은 존재이기 때문이다. 학위가 있다고, 재벌이라고, 장관이라고 다를 게 없다. 벌거벗고 물속에 있으면 서로를 주시하며 지켜 줘야 하는 평등한 관계일 뿐이다. 물론 부산에서도 "칭구야!"라는 말을 징그럽게 생각하는 사람들이 꽤 있다. 그럼에도 부산 특유의 '친구 아이가' 혹은 '행님' 정서는 오랫동안 해금(海禁)과 공도(空島) 정책 등으로 주류 질서 바깥에 존재했던 변방 사람들 사이의 동료 의식을 넌지시 상징한다.

어릴 때 바다를 보고 압도당했던 나는 성장 과정에서 누구도 피해 갈 수 없는 삶의 장애들을 혼자 돌파할 수 없다는 걸 빨리 깨쳤다. 실존적이면서도 막연한 불안, 세계에 대한 공포와 외로움, 물리적 가난과 정서적 결핍 같은 삶의 어려움을 알아가며 나와 내 친구들은 운 좋게도 서로에게 기대어 성장통을 버텼다. 우리의 모습은 사회학자 폴 윌리스가 말한 '사나이 문화'와 일부 겹쳐 있다.[1] 폴 윌리스가 분석한 노동계급처럼 우리는 동질한 무리는 아니었으나 바닷가라는 특정한 문화적 환경에서 우리만의 리그를 만들어 내려 했다. 이때 나와 친구들이 세계에 대해 품은 이미지는 중앙과 변방, 육지와 바다, 주류와 비주류, 이성과 감성 같은 대립 구도였다. 우리는 그중에서도 후자에 집중하며 더 삐딱해지려 노력했다. 사회의 보상과 처벌 체계가 공정하며 노력한 만큼 성공할 수 있다는 학교의 가르침을 헛소리 취급하면서 부모든 선생이든 권위라면 무조건 반항했다. 또 모든 자원이 기형적으로 집중된 서울에 대한 박탈감으로 서울과 다른 문화를 애써 고집했다. 저녁이면 서로 다른 학교의 논다는 아이들이 다 모여 모래사장 위에서 기타 치며 노래했다. 언더그라운드 예술을 탐닉하던 우리는 군대를 제대하자마자 앞날은 생각지도 않고 음악을 하러 대뜸 상경했다.

부산 남자들끼리 시비가 생길 때 자주 보는 풍경

[1] 폴 윌리스, 김영훈 옮김, 『학교와 계급 재생산』(이매진, 2004).

이 있다. “니 뭐고?”(누구냐고 묻지 않는다. 사물 취급한다.) 하면 상대가 이렇게 말한다. “내가 낸데!” 이 놀라운 자의식과 과장된 패기는 약자들의 전형적인 반작용이나 무례함으로 볼 수도 있지만 실제로 타인의 시선에 개의치 않고 제 갈 길을 가는 바닷가 정서를 보여 주는 것이기도 하다. ‘됐나? 됐다!’ 문화는 또 어떤가. 누가 봐도 안 될 것 같고 가능성도 거의 없는데 친구 중 하나가 지른다. “됐나?” 그러면 나머지가 잠깐 서로 눈치를 보다가 에라 모르겠다 비슷한 심정으로 외치는 것이다. “됐다!” 여기에는 내일 야단맞을 텐데, 나중에 대학 못 갈 텐데 같은 미래를 향한 시간 개념이 없다. 변방의 문화를 고집하면서도 특별한 대안 없이 무작정 서울 한복판으로 향한 우리 역시 오직 현재에 대응하며 순간을 살아가는 바닷사람의 모습 그 자체였다.

우정은 언제 깨지는가

제목 때문에 많은 사람이 착각하지만 사실 「친구」는 우정이 아니라 배신에 대한 영화다. 바닷가에서 함께 수영하던 주인공들의 우정은 영화 후반부에서 조폭 문화로 타락한다. 이른바 '우리가 남이가'로 상징되는 바로 그 느끼하고 징그러운 문화다.[2] 그럼, 우리가 남인가? 바보 같은 소리다. 우리는 당연히 남이다. 그리고 남인데도 서로 정을 나누기에 아름다운 것이다. 서로 다를 수밖에 없다는 전제 위에서도 함께하기에 우정은 아름다운 것인데 거꾸로 목표나 이해관계가 더 중요해지면 우정은 도구화된다.

김기춘이나 조폭들이 하는 '우리가 남이가' 같은 말들이 지시하는 바는 명확하다. 차이를 드러내지 말라는 것, 다름의 삭제, 전체주의, 그리하여 일상의 파시즘. 그러나 서로 다른 자기를 드러내지 않는 관계란 가짜다. 겉으로는 우정으로 미화되지만 실제로는 다른 가치를 모두 걷어 낸 채 세속의 기름기로만 가득 찬 이해관계의 주고받음은 목표만 남은 기름지고 비루한 관계 즉 작당(作黨)에 불과하다. 목적 없는, 사심 없는, 이해관계에서 벗어난 친구 관계에 어떤 명시적인 목표가 생기면 우정은 한순간에 패거리 문화로 전락하기 쉽다.

[2] 내 단골식당이기도 한 대연동 '초원복국'은, 1992년 김기춘의 '우리가 남이가'로 유명한 도청 사건이 일어났던 곳인데 30년이 지난 지금도 이곳에 가면 사람들이 그 이야기 하는 걸 종종 듣게 된다.

친구 중 누군가가 "내가 니 시다바리가?"를 읊조리는 순간 관계는 와장창 무너질 수밖에 없다.

데뷔 앨범을 내고 홍대 앞에서 밴드 활동을 하던 시절의 우리가 그랬다. 고등학교 때부터 함께 음악을 했던 친구들과 1998년 데뷔 앨범을 내고 몇 년이 지나 나는 부산으로 돌아가고 싶다는 생각을 자주 하게 됐다. 아주 조금이지만 유명세가 생기면서 우리 관계는 우정이라기보다 경쟁 관계로 변해 갔다. 누구의 아이디어가 곡에 더 많이 반영되는가, 누가 여자들에게 더 인기가 많은가 등 일상의 크고 작은 일에 서로 예민해지기 시작했다. 가장 의지했던 친구들이 어느덧 가장 보기 싫은 사이가 되어 있었다. 그러던 와중에 종로에서 술 마시다 필름이 끊겼는데 다음 날 아침 일어나 보니 광안리 집인 적이 몇 번 있었다. 이러다 객사하겠구나 싶어 바로 짐을 싸서 부산으로 돌아왔다. 그때 내 심정은 한마디로 '모로 가도 서울만 빠져나가면 된다'였다.

그 친구들과 다시 마음을 나눌 수 있기까지 딱 10년 걸렸다. 친구들의 부모님이 돌아가시기 시작할 무렵이었다. 경기도 부천 어느 장례식장에서 멤버들을 다시 만났다. 어색하게 "잘 사나? 우째 지내노?" 인사하다가 한 잔 두 잔 마시며 살아온 이야기를 나눈 것을 계기로 연락이 이어졌다. 놀듯이 작업을 하며 쌓인 곡으로 2010년에는 '기쁜 열대'라는 EP를 발매했다. 오랜만에 멤버들과 함께한 시간은 마냥 즐거웠고 이지형, 고경천, 루시드 폴, 크라잉넛, 노브레인, 이준오, 피아 등 옛 동료들의 추천사를 읽으면서는 설명하기 어려운 감동도 느꼈다. 그것은 우리를 위해 쓴 글이었지만, 우리와 함께 보냈던 자신들의 지난날에 대한 헌사이기도 했다.

이제 우리는 어떤 목표를 공유하지 않는다. 가끔씩 정치적 성향이 다른 친구와 말다툼을 할 때는 있지만 그것 때문에 우정이 상하지는 않는다. 각자의 생각을 있는 그대로 받아들이기 어려워도 그 배경에 어떤 사연이 있을 것임을 그저 미루어 짐작할 뿐이다. 그것은 결과적으로 양해가 되었다가 배려가 되었다가 결국은 이해가 되면서 우리 나름의 다양성을 확보해 준다. 사실 이 다양성이야말로 관계의 맷집이다. 다양성이 허락되지 않으면 기계적인 관계가 되어 모두의 삶을 소진시키고 작은 악의에도 쉽게 무너진다.

비합리적인 우정의 길

우정의 철학자 에피쿠로스는 친구에게 보낸 편지에서 이렇게 말했다. "친구들의 도움 그 자체보다는 우리 친구들이 틀림없이 우리를 도와줄 것이라는 그 확신이 우리에게 더 도움이 된다." 인간은 불안과 위험에 대응하기 위해 나름의 믿음 체계를 구성해 왔다. 먼 옛날에는 종교가, 이후로 국가나 민족이, 요즘에는 돈이라는 물신(物神)이 사람들을 불안과 위험으로부터 보호하는 믿음 체계 역할을 한다. 그러나 어떤 이는 종교나 민족이나 돈처럼 거대하거나 창백한 가치보다는 훨씬 구체적이고 살아 숨 쉬는 대상을 믿는다. 사람 말이다.

어린 시절의 우연한 만남이 삶의 절대적인 믿음 체계가 된다는 것은 참으로 신비로운 일이다. 나와 친구들은 끊임없이 제도와 법, 질서와 전통 바깥으로 탈주하려 했다. 다수가 선택한 삶의 방식을 거부하면서도 내심 불안했기에 서로에게 '사회적 보험'이 되어 주었다. '내가 물에 빠지면 네가 구해 줘야 해, 네가 빠지면 나도 구해 줄게.'라면서 말이다. 물론 그 시절 광안리 사나이 문화에는 분명 한계가 있다. 2010년대에 트

럼프를 지지하며 나선 보수적인 백인 노동 계급 남성들처럼 지나치게 마초적이었을 뿐 아니라 세상을 향한 불만을 정치적 의식화로 발전시키지도 못했다. 그럼에도 아무것도 없던 시절의 우리가 서로의 차이를 기꺼이 받아들일 수 있었던 건 나름의 용기가 있었기 때문이다.

지식인들이 보기에는 "아무것도 아닌 것"에 가깝지만 기존의 개념들로는 파악할 수 없는 놀라운 전유의 실천과 창조성을 발견하면서, "마치 사랑에 빠진 신체와 신체 사이에서만큼이나 맹목적인 지식"에 의한 일상의 실천과 그 가능성을 언급한 바 있는 미셸 드 세르토를 떠올려 봐도 좋겠다. 그는 보통 사람들의 작은 일탈과 무의미해 보이는 행위가 비록 당장 의미 있는 결과로 이어지지 않더라도 기성 체제와 권위에 균열을 내며 창조적인 에너지를 끌어낸다고 설명한다.[3] 자본주의적 계산의 논리로는 도저히 수지가 맞지 않는, 이성적 논리로는 원인과 결과가 상응하지 않는, 가능성 제로의 영역에 거의 무속에 가까운 믿음 체계 속에서

[3] 미셸 드 세르토, 신지은 옮김, 『일상의 발명』(문학동네, 2023).

우리는 현재에 집중하며 순간순간을 꼭꼭 씹어 먹어야 후회하지 않을 것이라는 건강한 예감을 공유했다.

나는 돈키호테와 같은 중세적 인간과 지금의 우리 같은 근대적 인간의 세계관이 다른 것처럼 공간적으로도 바닷가 사람과 육지 사람의 세계관이 어찌할 바 없이 다를 수밖에 없겠다는 생각을 자주 한다. 육지에서 땅의 소유는 너무 중요했기에 명료하게 선을 긋고 여기서부터는 내 땅, 저기까지는 네 땅 하는 식의 '선 긋기(kritik)'가 중요했다면 바다에서는 다르다. 육지에서는 길을 따라 움직이지만, 바다에서 배는 길을 내면서 움직이기 때문이다. 언젠가 백령도에서 한 선장님을 취재할 때, 약속보다 10분이나 일찍 간 우리를 버리고 벌써 바다에 나갔다는 말을 듣고 도대체 무슨 일이냐고 전화해서 따졌던 기억이 있다. 그때 선장님은 오히려 당당하게 소리쳤지. "뱃사람이 언제 시계 보고 있습니까? 물때 되면 나가는 거지!"[4]

친구 사이에 시시콜콜 따지면 좀스러운 것이고 늘 먼저 손해 봄으로써 남자다움을 증명하려는 장면도 자

[4] 장현정, 『바다의 문장들 1』(호밀밭, 2022).

주 연출된다. 술집에서 서로 계산하겠다고 다투는 진 풍경이 대표적이다. 손해 보지 않기 위해 일일이 토를 달고 따지기 좋아하는 사람들과 달리 가진 것 없는 바 닷가 남자들은 내일 당장 결제해야 할 카드값이 모자 랄 때조차 그렇게 한다. 우정은 현대 사회에 얼마 남지 않은 비합리적이고 반자본주의적이며 그래서 탈근대 적인 관계 양식이다. 다들 먹고사는 일로 바쁘고 사나 운 세상에 계산기를 두드리며 이득을 따지기보다 서로 의 지금 모습을 응원하고 지지하는 관계. 이러한 점에 서는 10년이 지나 비로소 편안한 관계가 된 어린 시절 바닷가 친구는 물론 긴 공백 후에도 선뜻 마음을 내어 준 서울의 옛 동료에게서도 우정의 모습을 발견하게 된다.

자기 힘으로 세계의 위험을 감당할 수 있다고 생 각하는 이들을 나는 근대인이라 부른다. 그들 중 오만 한 자는 감당을 넘어 자기들이 세계를 장악할 수 있다 고까지 생각한다. '더는 쪼갤 수 없는' 개인(in-dividual) 의 신화에 중독되면 그렇게 생각할 수도 있다. 하지만 정말 지혜로운 이들이라면 함께 준비한다. 자기성찰적 존재, 윤리적 존재, 자기 검열하는 존재, 완전하기를 꿈꾸는 존재가 우정의 선 안으로 쉽게 들어올 수 있을까. 그들은 어떤 일이 벌어질지 모르는, 예측 불가능한 관계라는 망망대해를 향해 배를 띄우는 데 실패할 가능성이 크다. 우정은 불완전하고 상처 입은, 실수하고 비윤리적인, 그래서 좀 모자란 존재들이 서로의 빈자리로 물처럼 흘러가 스미고 배어서 자연스럽게 서로를 채워 줄 때 부를 수 있는 이름인데 어떨까.

'호구'가 되는 우정

추주희

추추희 탈가정 청소년의 공동 주거 경험과 또래 관계 연구로 전남대학교에서 사회학 박사학위를 받았다. 주요 논문으로는 「소년 혐오인가 사회위기인가?: 위기청소년 담론에 대한 비판적 시론」, 「거리에서 개입하기: 광주지역 성매매 청소녀 지원활동을 중심으로」, 「가족의 경계와 질서의 재구성: 탈가정 청소년의 '팸' 생활에서 나타나는 돌봄과 친밀성을 중심으로」, 「청소년 한부모의 가족구성권에 대한 비판적 탐구」 등이 있다. 표준적인 생애주기에 따라 사회에 편입되기 어려운 상황에 있는 빈곤청년, 장애여성, 성소수자 등의 삶에 대해 연구한다.

[주요어] #탈가정청소년 #가출팸 #호구

[분류] 사회학 > 사회계층, 소수자 연구

"돌봄과 폭력은 의존관계에서
언제든 나타날 수 있다.
물론 폭력을 옹호하는 것은 아니다.
다만 폭력 속에서도,
폭력을 뚫어 내고서 팸 생활이
끊임없이 재구성되는 이유를
돌이켜 보기를 권하고 싶다."

'가출팸'은 가출 청소년들 사이의 은어로, 원룸이나 고시원, 모텔, 쪽방 등 불안정한 주거에 모여 살며 숙식을 같이하는 가출 패밀리의 줄임말이다. 나는 이 말을 2006년 가출 청소년들이 있는 한 중장기 쉼터에서 처음 들었다. 집을 나와 사는 여자 청소년들의 이른 성 경험과 섹슈얼리티에 대한 연구를 진행하던 때였다.

남성중심적인 팸에서 성폭력의 문제를 심각하게 여긴 여성 청소년들 몇몇이 나와 만든 팸이었다. 여성으로만 구성된 이 팸에서는 피임을 중요하게 생각하고 성폭력에 대처하는 방법을 같이 공부하기도 했다. 집에는 항상 콘돔을 비치해 두고, 밖에서 남자를 만날 때 항상 가지고 다닐 것을 약속했다. 외부에 이 팸이 알려

지면서 도움을 주겠다는 사람들이 나타났지만, 팸의 성원들은 거부했고 팸은 해체되었다. 이후 나는 도시의 공동 주거 경험과 또래 관계에서 새로운 친밀성과 돌봄의 지형이 만들어지고 있음을 알 수 있었다. 그래서 내가 사는 광주 지역을 중심으로 다양한 형태의 팸에 관한 연구를 시작하게 되었다.

팸은 가출이 장기화되거나 가족으로 돌아가길 거부하는 탈가정 청소년들이 주거와 생활비를 해결하기 위해 또래들과 함께 사는 방식이다. 가출한 후에 생계와 안전 그리고 정서적 유대를 도모하는 유일한 자구책인 셈이다. 그만큼 쉽게 해체되기도 한다.

사회나 가족이 제공하지 않는 안전을 청소년 스스로 지키는 과정은 쉽지 않다. 가족과 사회가 강제하는 규범과 제도는 가족을 화목하고 따뜻한 안식처로 그리며 정상 가족의 모델을 만들어 낸다. 그렇기에 어떤 문제가 있더라도 청소년(자녀)은 가족과 함께 있어야 한다. 청소년이 집을 나와 사는 것은 그 자체로 부적절하거나 일탈적이라고 규정된다. 단일한 상상과 고정관념과는 달리 팸은 그 모습도, 생활 방식도 천차만별이다. 남성 중심 집단의 폭력성과 가부장적인 질서를 거부하면서 여성들끼리만 사는 팸, 불법적이고 범죄적인 일만 빼고 닥치는 대로 아르바이트를 하면서 살아가는 팸, 집 주변에 재활용할 만한 살림살이들을 주워 와 살뜰히 사는 팸도 있다. 청소년 한부모와 같이 살며 아이를 키우기도 하고 버려진 강아지를 데려와 같이 키우기도 한다. 물론 팸을 싫어하거나 경계하면서 혼자 사는 청소년도 있다. 탈가정 청소년들이 팸 안에서 서로 어떻게 관계 맺으며 살아가는지는 좋고 나쁨, 합법 내지 불법으로 단순히 이분화해서 말할 수 없다.

청소년들은 집, 학교나 시설 같은 사회적 안전망 밖으로 나와 살려고 할 때 선택지가 많지 않음을 잘 알고 있다. 꼭 여러 명이 같이 사는 팸이 아닐지라도 누군가와 같이 살면 도움이 되는 걸 잘 안다. 그렇기에 필요할 때면 함께 살 누군가를 찾고 비슷한 처지의 누군가 힘들어할 때면 곁을 내어주기도 한다. 팸은 가족이라고 하기엔 보통 생각하는 가족과는 다르고, 공동체라고 하기엔 결속력이 약하고 대의 따위도 없다. 하지만 탈가정 청소년들은 지역을 옮겨 다니며 여러 팸을 거치고, 팸은 끊임없이 생겨나고 해체되면서 사회가 제공하지 않는 돌봄과 안전, 생존의 틈새를 만들어 낸다.

팸을 이룬 청소년들이 집을 나온 사정은 각각 다르지만, 더 이상 성인 보호자가 있는 그 집으로 돌아가길 거부한다는 점은 같다. 일부 청소년들은 가족과 느슨한 관계를 맺고 있지만, 모든 것이 보호자에게 위임된 현실 때문에 가족과 연결된 경우가 대부분이다. 각종 지원금이나 복지는 거의 모두 성인 보호자 또는 원가족에게 귀속되어 있고, 아르바이트를 할 때도 부모 동의서가 필요하다. 그렇기에 탈가정 청소년들은 부모 동의서를 위조하거나 주민등록증을 도용하는 경우가 다반사다. 불법적인 방법이 필요함에도 탈가정 청소년들은 국가에서 제공하는 쉼터 등의 시설에 들어가지 않고 스스로 혹은 같은 처지의 친구들과 함께 살아간다.

그런데 마땅히 도움을 제공할 가족이나 그 어떤 의무적 관계 없이 자력으로 살아갈 힘은 어떻게 만들어지는 것일까? 탈가정 청소년은 청소년에게 요구되는 삶의 규범 바깥에서 살아가면서 삶에 필요한 돌봄과 안전, 의식주를 어떻게 해결할까?

팸의 가장 흔한 형태는 2~4명이 모인 소형 팸이

다. '팸'은 주로 도시 안에서 만들어지고, 구성원들이 아르바이트를 통해서 번 돈으로 주거비가 싼 원룸, 쪽방에서 생활한다. 그런 점에서 너무 큰 규모의 팸은 오히려 삶에 불이익을 준다. 10대 시기에만 잠시 이렇게 생활하는 것이 아니라 도시의 저임금 불안정 노동자로 살아가는 경우 주거 선택의 전략은 청년기에도 유지된다. 여럿이 주거비나 생활비를 분담하는 것은 여러모로 이득이 된다. 아르바이트를 구하지 못해 월세를 못 내는 사람은 가사노동을 더 하기도 한다. 가족이 아닐지라도 누군가와 같이 살 만하다는 경험들을 하게 된다. 비슷한 처지라서 누군가를 받아들이기도 하지만 월세를 내기 위해, 바퀴벌레가 싫어서, 아플 때 걱정되어서, 혼자 자는 게 무서워서 등 갖가지 이유로 또래들과 함께 살아간다.

> "필요할 때 (사람) 찾는 거. 필찾이 가장 나쁜 거예요. 필찾은 싫지만…… 근데 나중에 진짜 뭔가 필요한 상황인데 혼자 해결이 안 되고 그럴 때는 도움을 줄 사람이 꼭 필요하죠."[1]

탈가정 청소년들과 함께한 글쓰기 모임에서 '글쓰는 처키'는 필찾, 즉 '필요할 때 사람 찾기'가 나쁘지만 필요하다고 강조한다. 가진 것 없는 탈가정 청소년에게 필찾은 생존을 위해 불가피한 선택이다. 도와줄 가족도, 내 자신의 뛰어난 능력도, 엄밀하게는 사회적으로 요구되는 노동자로서의 역량도 없는 사람들에게 필찾은 대체할 수 없는 생존법이다. '가족 같은 친구'라는 내적 친밀 관계보다 그저 자원을 공유하고 적절하게 기댈 수 있는, 함께 살 만한 친구라는 점이 더 중요하다. 필찾 관계인 이들은 서로의 필요에 바로 응답하고, 어느 정도 대면 만남이 가능해야만 한다. 그렇지 않은 사람이 일방적으로 필찾을 자원화하려고 할 때 늘 의심을 받게 된다.

탈가정 이후 집을 구할 때, 밥값이나 담배값이 필요할 때 도움을 주거나 얹혀살 수 있게 해 주는 사람이 필요하다. 결국 필찾 관계는 경제적 상호부조의 관계이자 서로가 아플 때, 필요할 때 찾을 수 있는 보험이다. 자원을 공유하고 의존하는 관계는 혈연을 바탕으

[1] 징검다리배움터 늘품, 추주희 엮음, 『우리가 원하는 것을 아무도 모를 때』(소년의서, 2021), 62~63쪽.

로 한 가족 관계처럼 자연적이지도 의무적이지도 않다. 팸이 우연히 형성되듯, 필요할 때 서로를 찾는 교환과 공유 역시 단기적이거나 임시적이다. 그러나 이는 필요를 충족할 수 있는 유일한 방법이다.

필착과 호구의 우정?

탈가정 청소년들과 친구나 팸에 대해 말할 때 중요한 것 중 하나가 '호구'다. 가진 게 별로 없기에 누군가에게 의존해야 하는 이들에게 친구라는 이름의 호구는 필요하다. 내가 호구가 되는 것은 싫지만, 호구가 되는 상황은 유동적이기에 호구가 되지 않으려는 개인적 노력은 관계 안에서 무의미해질 때도 있다. 2019년에 만난 영석의 이야기다.

> "이거 얘기하려면 애매한데, 팸에서 제가 막내였어요. 거기 먼저 들어와서 살았던 사람들끼리 엄청 친해져 있었죠. 친해진 사람들끼리는 편하단 느낌을 받잖아요. 어쩌다 보면 선을 넘을 때도 있고. 저는 막내니까 거기에서 선을 넘으면 안 되거든요. 그래서

눈치를 보면서 살았죠. 저도 꼬라지가 있는데 그걸 감추고 맞추는 거죠. 근데 그게 너무 버거운 거예요. 제가 호구 같아 보여도, 더 받아 주고. 점점 더 친해지면 장난 반 섞어서 말로 싸우면서 저를 드러내는 거죠. 그래야 같이 살기 편하니까."

호구는 팸 안에서 '알면서도 당한다.' 영석의 이야기처럼 팸의 성원이 되는 과정에서 일부러 호구가 되기도 한다. 누군가와 선을 넘는 편안한 관계가 되기 위해 때때로 호구가 된다. 2015년에 만난 미미의 이야기는 이랬다.

"그때 고깃집 하다 (팸에서) 살아서, 재밌어서 힘든 건 없었는데, 친구들이랑 같이 살았어요. 그냥 거기는 다 단칸방이었어요. 엄청 좁고 맨 처음 들어가면 티브이를 하나 주는데 완전 옛날 티브이. 돌리면 턱 턱 소리 나는…… 그걸 하나 주고 장문이 조금 뚫려 있고, 세면대가 있는데 녹물이 나와요. 그런데 저희는 서너 명이 살았거든요. 처음 살 때 2~3개월은 제가 방비를 내고 그 후에는 같이 살던 친구가 또 돈을 내서 5~6개월을 살았어요. 그렇게 살다가 방이 너무 좁아서 그 바로 옆방에 제가 방을 잡았어요. 거기가 완전 구식 건물이란 말이에요. 벽 시멘트가 있는데 가위로 파면 구멍이 뚫어질 정도였어요. 그래서 친구랑 저랑 구멍을 조금씩 파서 거기를 아주 작게 뚫었어요. 그래서 거기로 이야기하고 담배 하나만 줘 보라고 하면 담배 넣어 주고, 진짜 작은 구멍에서 입 대고 서로 이야기하고.(웃음)"

미미는 달방에서의 경험을 '찐우정'으로 설명한다. 미미는 석 달 치 방비를 냈지만 다섯 달은 유진이 냈다. 유진은 별로 좋지도 않은 방을 물려받고, 방세를 더 내면서 굳이 한집에서 같이 살아간다. 현대 사회에서 우정의 이상은 서로 동등한 교환관계, 즉 호혜적 관계에 기초한다는 점을 생각해 보면, 필찻과 호구를 부정적으로 바라보는 것은 당연한지도 모르겠다. 필요할 때만 친구를 찾는 사람에게 모든 것을 다 베푸는 호구는 필찻만큼이나 부적절하다. 물주인 호구는 그저 이용하기 좋은 사람일 뿐이다.

그러나 미미와 유진의 관계는 필찻과 호구로 선명

하게 나뉠 수 없다. 유진은 이미 미미가 일곱 시간 넘게 일하고 들어와 힘들게 단칸방에 몸을 뉠 때 그 좁은 집에 서너 달을 함께 살았다. 미미 역시 한동안 유진에게 호구였다. 유진이 탈가정하는 과정에서 비빌 곳이 되어 주었다. 한 사람이 일방적으로 착취하고 다른 사람은 착취당하는 이분법으로 설명되는 관계가 아니다. 늘 자원이 부족한 탈가정 청소년들의 팸에는 아낌없이 내어주는 존재가 필요하다. 호구 역시 나를 찾아 주는, 내가 필요하다고 말하는 이와의 관계를 통해 고립된 삶에서 벗어난다. 이들의 관계는 상호 호혜적이다. 통상 사교적 관계에서 '기브 앤 테이크', 즉 계산은 정확해야 한다. 그러나 절대적 자원이 부족한 탓에 자원의 공유와 의존을 중요하게 고려하는 팸 내부의 호혜성은 단순한 셈법을 따르지 않는다.

돌봄과 폭력이 공존하는 팸

우리가 아마도 위험하다고 생각하는 팸은 영화 「박화영」의 팸과 유사할 것이다. 8인 이상으로 구성되는 대형 팸에서 10대 남성이 리더 또는 보호자가 된다. 폰사기, 중고사기, 절도, 10대 여성의 조건만남 등의 불법 행위로 생활이 유지된다. 이런 유형의 팸은 준범죄집단으로 비춰지며, 집단화된 팸 생활은 조폭 집단과 유사해 보인다. 의리가 중요하고 조직 위계 속에서 리더를 따르며, 불법과 범죄로 생계가 유지된다. 영지가 살았던 팸 역시 성매매, 삥뜯기, 마약의 일종인 해피벌룬 판매 등 불법적인 행위를 했다. 그러나 2017년에 만난 영지의 이야기는 조금 다르다.

> "열 명이 구시청으로 나와서 살았어. 그때 난방비도 못내서 엄청 추웠는데, 진짜 존나 추운데, 찬물로 머리 감고 그랬지. 엄청 무거운 솜 이불 있지? 그걸 덮어도 추웠어. 그래서 패딩 팔 다리에 끼고, 다 붙어서 잤어……. 그러다 아는 언니가 길에서 강아지를 데리고 와서 키웠는데, 강아지가 우리 옷에 똥 싸고, 오줌 싸고…… 강아지한테 옴까지 올라서, 그때 열 명이 다 피부병에 걸려서 난리가 났지……. 그래도 가족 같았는데, 그냥 좋은 친구들이었어. 다 터놓고 이야기할 수 있는 그런…… 내가 아프면 죽도 먹여 주고, 계속 물수건 올려 주고, 간호했지. 그냥 우리는

누가 아프다면 다 같이 집에 있었어. 그냥 우리는 그렇게 해야 된다고 생각했으니까."

영지는 스무 명 남짓한 친구들과 빌라에서 살았고, 큰 팸에서 빠져나와서 예닐곱 명이 작은 쪽방에서 함께 살기도 했다. 팸 안에서도 친한 친구들끼리 다시 나와 살게 된 영지는 서로의 이야기를 터놓고, 아플 때 돌봐 주며, 룸메이트 이상으로 가족과 같은 유대감을 느꼈다. 일시적으로 살았지만 이들은 영지의 삶에서 도움이 가장 필요했던 순간 옆에 있었던 친구들이다.

때때로 어떤 팸은 조건 만남이나 마약성 물품 판매 등 불법적인 일을 하면서 유지된다. 그러한 불법적인 일로 현재의 삶을 돌보는 관계를 유지한다. 삶의 불법성과 돌봄의 필요성이 교차하는 관계에서 분명한 것은 서로를 돌보는 과정이 의미 있는 삶의 순간으로 경험된다는 점이다. 진짜 가족도 아니고 친구도 아닌 관계, 어쩌면 폭력성이 가장 먼저 두드러지는 관계에서 돌봄과 친밀성이 구성된다는 것에 주목해야 한다. 영지와 그 팸 구성원은 서로 마땅히 돌봐야 한다고 생각했다. 팸에서 돌보는 자, 그러니까 호구를 일방적으로 착취당하는 피해자로만 보면 돌봄과 친밀성의 관계는 제대로 보이지 않는다.

돌봄과 폭력은 의존관계에서 언제든 나타날 수 있다. 물론 폭력을 옹호하는 것은 아니다. 다만 폭력 속에서도, 폭력을 뚫어 내고서 팸 생활이 끊임없이 재구성되는 이유를 돌이켜 보기를 권하고 싶다. 이들은 원가족을 벗어나서 새로운 가족 실천을 통해 자신이 누구와 어디서 어떻게 함께 살 것인지를 매번 몸소 부딪혀서 배우고 결정해 간다.

자유롭기 위한 조건을 함께 만들기

탈가정 청소년에게 우정이 무엇인지를 묻기에 앞서 고려해야 할 것은 열악한 조건, 내부의 폭력과 착취 그리고 사회적 시선과 압박에도 불구하고 가출팸이 없어지지 않고 계속해서 생겨나고 또 유지된다는 점이다. 왜 이들이 팸 생활을 계속할 수밖에 없는지를 있는 그대로 보아야 한다. 여러 팸을 거치면서 이들은 서로 돌봄의 필요를 충족하고 자기 삶의 역량을 증진하는 경험을 해 왔다. 성년이 되기 전까지 누군가에게 의존해야만 하는 조건 속에서 지금 한국 사회가 청소년에게 허용하는 '좋은 돌봄자'는 혈연 가족이거나 국가가 인정한 쉼터 및 시설뿐이다. 이를 거부하는 가출팸 안에서 필찾과 호구는 분명 친구이자 가족 같은 사이다.

통상적으로 우정은 평등한 위치에 있는 두 사람의 공정한 교환과 자유로운 선택으로 구성된다고 생각된다. 이러한 우정에 대한 이해는 관계의 많은 부분을 개인 간의 문제로 제약한다. 개인과 개인 간의 관계로 좁게 우정을 해석하는 시대에 우정은 사적인 것으로, 사생활로, 사적 친밀성으로 환원된다.

필찾과 호구의 관계는 팸이라는 집단적 관계 안에서 나타나며 평등한 위치에서의 공정한 교환은 불가능하다. 팸에서 살아가는 청소년 개인의 지위는 매우 취약하고 불안정하다. 불안한 삶은 그만큼 다른 사람과의 동등한 위치에 서 있기 어려운 조건이기도 하다. 바로 그런 이유로 탈가정 청소년들에게 상호의존은 필수적이다. 또한 탈가정 청소년들이 맺는 관계에서는 한 사람이 늘 호구, 다른 사람은 늘 필찾으로 고정되는 것이 아니라, 한쪽이 다른 한쪽을 호구를 잡았다가 반대로 호구를 잡히기도 하는 역전이 수시로 일어난다. 이렇게 비대칭적인 관계 안에서 피어날 수 있는 삶의 역량을 긍정하고 서로 의존하면서 자율적인 존재가 되기 위한 조건을 만들어 내는 시간은 탈가정 청소년의 우정을 위한 첫 단추일 수 있다.

참고 문헌(발표순)

이연숙 「비(非)우정의 우정」

김영민, 『동무론: 인문연대의 미래형식』(최측의농간, 2018).
모리스 블랑쇼, 류재화 옮김, 『우정』(그린비, 2022).
아비탈 로넬, 염인수 옮김, 『루저 아들: 정치와 권위』(현실문화, 2018).
조르조 아감벤, 양창렬 옮김, 『장치란 무엇인가? 장치학을 위한 서론』(난장, 2010).
Tom Roach, *Friendship as a Way of Life: Foucault, AIDS, and the Politics of Shared Estrangement*(SUNY press, 2012).
Michel Foucault, "Friendship as a Way of Life," *Ethics: Subjectivity and Truth(Essential Works of Foucault, 1954~1984, Vol.1)*(The New Press, 1998).

김정은 「자기 언어를 찾는 방법」

김성례, 『한국 무교의 문화인류학』(소나무, 2018).
김혜순, 『여성이 글을 쓴다는 것은』(문학동네, 2002).
_____, 『나의 우파니샤드, 서울』(문학과지성사, 1994).

버지니아 울프, 이미애 옮김, 『자기만의 방』(민음사, 2016).
김정은, 「1990년대 여성주의 출판문화운동의 네트워킹 행위자로서 고정희의 문화적 실천」, 《아시아여성연구》 60(2)(2021).
곽아람, 「이슬아, 생계 위해 쓴 '연재 노동자'가 '브랜드'가 되기까지」, 《조선일보》, 2023년 8월 2일.
김광일, 「"강요된 주부—엄마의 정체성 벗고 싶었다"」, 《조선일보》, 2002년 1월 3일.
「또 하나의 문화를 창조하는 동인들의 모임」, 《동인회보》 3, 1985년 4월 20일.
『여성해방의 문학: 또 하나의 문화 3호』(평민사, 1987).
『여자로 말하기, 몸으로 글쓰기: 또 하나의 문화 9호』(또 하나의 문화, 1992).

김예나 「털 고르기를 하는 시간」

Correia-Caeiro, C., Guo, K., & Mills, D.S., "Perception of dynamic facial expressions of emotion between dogs and humans," *Animal Cognition* 23(2020).
Michele Wan, Niall Bolger, & Frances A. Champagne, "Human Perception of Fear in Dogs Varies According to Experience with Dogs," *PLoS ONE* 7(12)(2012).
Preston, S. & De Waal, F. "Empathy: Its ultimate and proximate bases," *Behavioral and Brain Sciences* 25(1)(2003).

김지은 「비둘기와 뒤얽히는 영역」

도나 해러웨이, 최유미 옮김, 『종과 종이 만날 때: 복수종들의 정치』(갈무리, 2022).
______, 최유미 옮김, 『트러블과 함께하기: 자식이 아니라 친척을

만들자』(마농지, 2021).
발 플럼우드, 김지은 옮김, 『악어의 눈: 포식자에서 먹이로의 전락』(yeondoo, 2023).
고은경, 「위기의 도심동물들: 제주는 잡아 태웠고 울산은 관광자원으로…… 전깃줄 떼까마귀 어찌할꼬」, 《한국일보》, 2023년 9월 7일.
김은주, 「고양이 앞에 선 철학자」, 《한편》 4호 '동물'(민음사, 2021).
자크 데리다, 최성희 문성원 옮김, 「동물, 그러니까 나인 동물(계속)」, 《문화과학》 76(2013).
「야생동물 실태조사」(국립생물자원관, 2015년, 2017~2021년).
「서식환경별 조류 개체군 특성 연구」(생물자원연구부 동물자원과, 2018~2020년).
송영근 외, 「도시생태계 현안대응을 위한 다중기반 그린인프라 기술 개발」(환경부, 2022).
MBC, 「무한도전」 483회, 2016년 6월 11일 방영분.

김경채 「일본인이 되는 문제」

윤해동, 『식민지의 회색지대』(역사비평사, 2003).
이성시·임지현, 『국사의 신화를 넘어서』(휴머니스트, 2004).
최유리, 「일제 말기 징병제 도입의 배경과 그 성격」, 《역사문화연구》 제12집(2000).
황호덕, 「탈식민주의인가, 후기식민주의인가: 김남주, 그리고 한국의 포스트콜로니얼리즘 연구 20년에 대한 단상」, 《상허학보》 제51호(2017).
최재서, 「사실(事實)의 세기(世紀)와 지식인(知識人)」, 《조선일보》, 1938년 7월 2일.
______, 「건설(建設)과 문학(文學)」, 《인문평론》 1939년 11월호.
______, 『轉換期の朝鮮文學』(人文社, 1943).
______, 「まつろふ文學」, 《國民文學》 1944年 4月号.

이경빈 「남북 관계의 굴레에서」

권헌익·정소영 옮김, 『전쟁과 가족』(창비, 2020).

에두아르두 비베이루스 지 카스트루, 존재론의 자루 옮김, 『인디오의 변덕스러운 혼』(포도밭출판사, 2022).

우라사와 나오키, 오경화 옮김, 『몬스터』(서울문화사, 2006).

이경빈, 「실향민 공동체의 시간과 위기: 이북5도청과 도민조직에 대한 인류학적 연구」(서울대 인류학과 석사학위 논문, 2021).

이상현, 「김여정 입에서 나온 '대한민국'…'투 코리아' 본격화하나」, 《연합뉴스》, 2023년 7월 11일.

조윤정, 「"우린 유령인가"…… 종전선언 땐 지워진다, 납북자 가족들의 통곡」, 《조선일보》, 2021년 12월 14일.

Heonik Kwon, "Anthropology and world peace," *HAU: Journal of Ethnographic Theory* Vol.10(2020).

Max Gluckman, "The Peace in The Feud," *Past and Present* Vol.8(1955).

장현정 「바닷가 동네의 친구들」

미셸 드 세르토, 신지은 옮김, 『일상의 발명』(문학동네, 2023).

장현정, 『바다의 문장들 1』(호밀밭, 2022).

폴 윌리스, 김영훈 옮김, 『학교와 계급 재생산』(이매진, 2004).

추주희 「'호구'가 되는 우정」

징검다리배움터 늘품, 추주희 엮음, 『우리가 원하는 것을 아무도 모를 때』(소년의서, 2021).

추주희, 「탈가정 청소년」, 『가족커뮤니티 개념들 2: 나와 타자』(전남대출판문화원, 근간).

______, 「가족의 경계와 질서의 재구성: 탈가정 청소년의 '팸' 생활에서 나타나는 돌봄과 친밀성을 중심으로」, 《경제와사회》 제128호(비판사회학회, 2020).

지난 호 목록

7	중독
김지호	「인생샷을 찾는 사람들」
김민주	「미디어중독자의 행복한 삶」
김관욱	「"담배, 참 맛있죠"」
허성원	「섹스 중계자들의 우화」
임민경	「중독자의 곁에 있기」
유기훈	「강제 치료를 둘러싼 문제」
노경희	「불멸에 이르는 중독」
조성도	「CEO의 '착한' 경쟁 이야기」
정진영	「집으로 돈 버는 세계에서」
지비원	「인문서에 집착하는 이유」

8	콘텐츠
이솔	「산만한 나날의 염증에 관하여」
콘노 유키	「핫플레이스의 온도」
김윤정	「귀여움이 열어젖히는 세계」
신윤희	「아이돌 팬이라는 콘텐츠」
천미림	「범죄물을 대하는 자세」
허지우	「"그거 이차가해 아닌가요?"」
장유승	「조선 사람이 선택한 콘텐츠」
조영일	「콘텐츠 시대의 예술작품」
정민경	「'되는 이야기' 만드는 법」
김찬현	「막힌 곳을 뚫는 과학」

9	외모
김원영	「외모라는 실체에 관하여」
김애라	「메타버스 아바타의 상태」
박세진	「패션 역주행에 대처하는 법」
임소연	「K-성형수술의 과학」
안진	「왜 TV에는 백인만 나올까?」
이민	「전시되지 않는 몸들의 삶」
정희원	「지속가능한 몸 만들기」
박정호	「얼굴을 잃지 않는 대화」
김현주	「비누거품 아래, 죄와 부채」
일움	「외모 통증 생존기」

10	대학
난다	「학력 무관의 세계를 향하여」
김종은	「익명을 설득하는 학생 자치」
신하영	「혼란스러운 강의실 만들기」
우재형	「노동문제 동아리 활동기」
신현아	「대학이 해방구가 될 때」
유상운	「탐구는 어디에서 일어나는가」
소진형	「'실용적인 학문'의 성립 사정」
황민호	「졸업하기 싫은 학교」
현수진	「대학 안팎에서의 역사학」
유리관	「아 다르고 어 다른 세상에서」

11	플랫폼
김리원	「택배도시에서의 일주일」
강미량	「걷는 로봇과 타는 사람」
전현우	「독점으로 향하는 급행열차」
김민호	「플랫폼들의 갈라지는 시공간」
김유민	「알고리즘을 대하는 자세」
이두갑	「창작자의 정당한 몫 찾기」
김혜림	「K 카다시안의 고백」
문호영	「번역을 공유하는 놀이터」
김예찬	「잃어버린 시민을 찾아서」
구기연	「인스타스토리로 연대하기」

인문잡지 한편

12

우정

글

안담, 이연숙, 김정은, 김예나, 김지은,
김경채, 이경빈, 김민하, 장현정, 추주희

편집

신새벽, 김세영, 조은, 맹미선, 이한솔

디자인

유진아

발행일

2023년 9월 15일

발행인

박근섭, 박상준

펴낸곳

(주)민음사

등록일 / 등록번호

2020년 5월 20일
강남, 사00118

주소

서울시 강남구 도산대로1길 62(신사동)
강남출판문화센터 5층(06027)

대표전화

02-515-2000

홈페이지

www.minumsa.com

값 10,000원

ISBN / ISSN

978-89-374-9163-4 04100
2733-5623